LA SÉLECTION NATURELLE

ROMAN

Éditrice-conseil : Nathalie Ferraris
Infographiste : Chantal Landry
Révision : Sylvie Massariol
Correction : Caroline Hugny et Ginette Choinière
Conception de la couverture : Lyne Préfontaine

DISTRIBUTEUR EXCLUSIF :

Messageries de presse Benjamin
101, rue Henry-Bessemer
Bois-des-Filion, Québec, J6Z 4S9
Téléphone : 450-621-8167

01-14

Charron Éditeur inc.
1055, boul. René-Lévesque Est, bureau 205
Montréal, Québec, H2L 4S5
Téléphone : 514-523-1182

Dépôt légal : 2014
Bibliothèque et Archives nationales du Québec

ISBN 978-2-924259-18-4

Gouvernement du Québec – Programme de crédit d'impôt pour l'édition de livres – Gestion SODEC – www.sodec.gouv.qc.ca

L'Éditeur bénéficie du soutien de la Société de développement des entreprises culturelles du Québec pour son programme d'édition.

Nous reconnaissons l'aide financière du gouvernement du Canada par l'entremise du Fonds du livre du Canada pour nos activités d'édition.

SYLVIE-CATHERINE
DE VAILLY

LA SÉLECTION NATURELLE

UNE ENQUÊTE DE L'INSPECTEUR
JEANNE LABERGE

Une société de Québecor Média

La société et la science ont tellement baigné
dans les idées du mécanisme, de l'utilitarisme
et de la libre concurrence économique, que
la sélection a remplacé Dieu comme ultime réalité.

ARTHUR KOESTLER

Les espèces qui survivent ne sont pas
les espèces les plus fortes ni les plus intelligentes,
mais celles qui s'adaptent le mieux aux changements.

CHARLES DARWIN

Chapitre 1

Les portes automatiques s'ouvrirent sur un homme en état de panique. Il cherchait de l'aide et ne savait pas quoi faire ni où aller. Il remuait les bras comme un pantin et zigzaguait de gauche à droite, jetant des regards affolés sur les gens qu'il croisait, mais sans les voir. Il se jeta sur une infirmière penchée sur une dame âgée et la saisit par les bras.

— Aidez-nous, madame, je vous en supplie, aidez-nous... mon épouse... le bébé... lui lança-t-il au visage, le regard fiévreux.

— Calmez-vous, monsieur, et dites-moi où elle est.

— Mais là, là, dans ma voiture... le bébé... il est... il est trop tôt...

— Votre femme est en train d'accoucher et elle se trouve dans le stationnement de l'hôpital ? décoda l'infirmière.

L'homme secoua vivement la tête en signe d'assentiment.

L'infirmière, une dame dans la cinquantaine qui travaillait au Service des urgences depuis plus de vingt ans, se tourna aussitôt vers l'employée derrière le comptoir d'accueil.

— Sandra, une femme accouche dans le stationnement. Je veux une civière… cria-t-elle en entraînant l'inconnu vers l'extérieur. Où est-elle, monsieur ? lui lança-t-elle en passant les portes.

L'homme désigna sa voiture garée à cheval sur la pelouse et l'entrée asphaltée de l'hôpital. L'infirmière se dirigea en courant vers le véhicule et vit à travers la vitre le visage crispé et inquiet de la mère. Elle ouvrit la portière. La jeune femme d'une vingtaine d'années avait les deux mains entre les cuisses et semblait vouloir empêcher son enfant de naître.

— Il est là, il est là, je le sens… gémit-elle. Aidez-moi, il est trop tôt !

— Ne craignez rien, madame, nous allons nous occuper de vous. Une équipe arrive tout de suite, lui dit l'infirmière d'une voix qu'elle voulait rassurante, presque maternelle, tandis qu'elle se penchait sur la patiente. Dites-moi quel est votre prénom ?

— France.

— Très bien, France. Maintenant, je veux savoir de combien de semaines vous êtes enceinte, poursuivit-elle en tâtant de ses deux mains le ventre arrondi de la jeune femme.

— Trente et une…

L'infirmière fronça les sourcils. Au même moment, deux brancardiers poussant une civière accouraient vers la voiture. Un médecin les accompagnait.

Avec précaution et efficacité, ils aidèrent la jeune mère à sortir de la *Plymouth Cricket* 1972. Son conjoint regardait la scène, ahuri et complètement figé. Le docteur Ghanem Benaissa, le généraliste en service à ce moment-là, plaça tout de suite son stéthoscope sur le ventre de la patiente.

— À combien de semaines êtes-vous ?

— Trente et une, répondit l'infirmière à la place de la jeune femme crispée de douleur. C'est son premier enfant. Elle a perdu ses eaux dans la voiture. Il y a également du sang sur ses vêtements. L'enfant se présente par la tête ; l'accouchement est commencé.

— OK, messieurs, lança le médecin aux auxiliaires, en salle d'op et vite ! Vous, dit-il à l'infirmière, prévenez le bloc, appelez l'obstétricien de service et avisez la pédiatrie que nous avons un prématuré.

Déjà, les préposés poussaient la civière vers les couloirs de l'hôpital. Le mari, incertain de ce qu'il devait faire, voulut les suivre, mais l'infirmière le retint par le bras.

— Venez avec moi, monsieur. France est entre bonnes mains, votre enfant également. Ne vous inquiétez pas. Nous devons toutefois enregistrer l'arrivée de votre femme. Voici Sandra ; elle va s'occuper de ça avec vous, ensuite elle vous conduira à la salle d'attente.

Elle le laissa aux soins de l'infirmière à l'accueil avant de disparaître à son tour derrière les portes qui menaient au bloc opératoire.

L'obstétricien de garde arriva quelques minutes plus tard. Il examina la mère et conclut ce que tout le monde savait déjà : l'enfant qu'elle portait était bel et bien en train de se présenter et il fallait faire vite, car la patiente perdait du sang.

— Décollement du placenta. Je veux 5 cc de Sufentanil, ordonna-t-il en se tournant vers la patiente.

Madame, vous êtes sur le point d'accoucher. Vous êtes en salle d'opération. Nous n'aurons pas le temps de prévenir votre médecin traitant. Je suis le docteur Serge Delongpré, gynécologue-obstétricien. C'est moi qui vais mettre au monde votre enfant... Tout va bien se passer.

— Mais il est trop tôt, lança entre deux sanglots la jeune femme dont la voix était faible et lointaine, à peine audible. Il est trop tôt...

— Oui, je sais. Votre bébé est prématuré de neuf semaines, mais nous allons tout faire pour le sauver, madame... Madame, madame, restez avec nous...

Les portes doubles de la salle d'opération se refermèrent sur ces paroles.

Une trentaine de minutes plus tard, naissait Brigitte par césarienne. La mère était plongée dans un sommeil artificiel et on lui faisait un curetage. À peine plus grande qu'une poupée et pesant un peu moins d'un kilo et demi, la petite fut aussitôt examinée pour être ensuite menée à la chambre des prématurés, en pédiatrie. On la déposa dans une couveuse branchée à un moniteur et à un cardioscope: là, elle pourrait poursuivre sa croissance sous haute surveillance. Du moins, c'est ce que les omnipraticiens espéraient, car le poupon était arrivé beaucoup trop prématurément et le taux de survie à cet âge était très bas. Le médecin qui examina l'enfant détecta une bradycardie, un léger ralentissement du cœur.

Les infirmières s'affairaient avec professionnalisme autour de cet être qui se battait pour vivre. On plaça des capteurs sur son cœur et des électrodes sur le reste de son corps afin de surveiller ses signes vitaux. On lui mit un soluté, une sonde gastrique, un masque à oxygène et une couverture, avant de rabattre un rideau de plastique qui servirait à le protéger d'une éventuelle contamination et à maintenir la température dans l'incubateur. Le médecin de service notait méthodiquement toutes ses observations concernant l'enfant.

La naissance précoce de Brigitte la plaçait parmi les grands prématurés, mais le personnel hospitalier était bien décidé à tout faire pour l'aider à vivre. C'est ce qu'avait annoncé le médecin accoucheur au mari, qui n'en finissait plus d'arpenter le couloir, en attente de nouvelles. Il avait éclaté en sanglots en apprenant qu'il était le papa d'une petite fille.

* * *

À quatre heures du matin, la mère dormait sous anesthésie dans une chambre, tandis que le père était enfin autorisé à voir son nouveau-né. Vêtu de la tête aux pieds de vêtements stériles, il regardait à travers une lucarne son enfant qui venait de naître. Brigitte était minuscule. Avec sa peau plissée et rouge, elle semblait si fragile ! Le père se remit à pleurer en silence.

— Elle devrait s'en sortir, lui dit le docteur Benaissa en entrant dans la pièce. Mais elle va devoir demeurer dans cette couveuse quelque temps. Il faut qu'elle prenne du poids et que ses poumons se développent pour devenir autonomes. Je crois que nous avons là une petite fille qui a envie de se battre pour vivre ! Ne vous laissez pas impressionner par son apparence : sa peau froissée et rouge vient du fait qu'elle n'a pas encore eu le temps de cumuler de la graisse, une étape qui se produit généralement dans les dernières semaines de la grossesse. Tous ces appareils servent à reproduire artificiellement le ventre de sa mère, ce qui lui permettra de grandir et de poursuivre sa croissance.

— Pourquoi si tôt ? Que s'est-il passé ?

— Votre femme a eu ce qu'on appelle une prématurité spontanée due à un excès de liquide amniotique. L'hydramnios, c'est le terme médical, est une cause classique de contractions utérines provoquant l'accouchement. Pour votre épouse, ces contractions sont arrivées trop tôt.

— Mais elle saignait, ma femme perdait du sang...

— Oui, ces saignements sont provoqués par un décollement du placenta, ce qui explique que le chirurgien a procédé à l'opération.

Le père était troublé de voir son enfant maintenue en vie grâce à tous ces appareils. Une image du film *Frankenstein* lui revint en mémoire. La scène qui se déployait devant lui était difficile, presque insupportable, pour le nouveau parent qu'il était. Brigitte était reliée à une sonde gastrique qui l'alimentait en continu. À sa droite, des fils liés à un moniteur assuraient son maintien cardiovasculaire, et un autre appareil la reliait à un enregistreur muni d'une alarme ; cet instrument permettait de surveiller ses fonctions respiratoires, cardiaques et thermiques.

— Je comprends votre désarroi, reprit le médecin en désignant de la main tous les appareils, mais ils sont nécessaires à la survie de votre fille. Vous allez vous y faire : c'est pour son bien.

— Et si un de ces trucs flanchait ?

— Ne vous inquiétez pas, ces appareils sont fiables. Et si quelque chose venait à se passer, une infirmière spécialement affectée aux prématurés interviendrait tout de suite. Il y en a une en permanence. De plus, un médecin passe régulièrement voir les enfants. Brigitte est entre bonnes mains : nous veillons sur elle et nous faisons tout en notre pouvoir pour la sauver. Pour le moment, son état est stable. Les prochains jours seront déterminants.

— Pouvez-vous me dire comment va ma femme ?

— Elle dort toujours, mais elle va bien. Elle devrait s'en remettre rapidement. Elle a fait une chute de pression à son arrivée, mais ce n'est rien de grave, soyez rassuré. Vous pourrez la voir dès demain. Je vous conseille d'aller vous reposer : vous en avez bien besoin, la soirée a été longue !

* * *

La petite Brigitte faisait preuve d'une grande détermination depuis son arrivée au monde, une semaine plus tôt. Bien que sa prématurité ait entraîné de graves problèmes respiratoires, son état semblait s'améliorer d'heure en heure. Le pédiatre qui venait évaluer sa condition plusieurs fois par jour ainsi que les infirmières qui assuraient sa surveillance avaient bon espoir qu'elle s'en sorte. Sa mère venait la voir à intervalles réguliers. Chaque fois, elle était très émue de sentir sa fille si fragile. Minuscule, l'enfant était branchée de partout, et la voir ainsi bouleversait sa mère.

France regardait chaque parcelle de son corps: ses petits doigts, ses ongles minuscules, son nez à peine plus grand qu'un pois et ce petit ventre qui se soulevait à chaque respiration. Elle rêvait de la prendre dans ses bras.

— Tu es si petite... Tu dois te battre, mon bébé...

* * *

Cette nuit-là, les deux infirmières de garde au Service de néonatologie de l'hôpital Maisonneuve-Rosemont étaient assises derrière le comptoir et terminaient silencieusement leur quart de travail. La première, une femme dans la quarantaine aux allures garçonnes, s'occupait des prématurés. Elle feuilletait un magazine de mode féminine d'un regard critique. L'autre, une jolie brunette au caractère bien trempé, veillait sur l'ensemble des jeunes patients de l'étage. Elle lisait le dernier roman de l'heure.

Il était minuit passé et tout allait relativement bien, à part le petit Mickael de la chambre 201 qui se réveillait souvent en pleurs. Le pauvre avait fait une grave chute et était dans un piteux état. Les autres jeunes patients dormaient, et aucune urgence n'était survenue au cours de la soirée. Le calme régnait en maître dans le service et seul le tic-tac de l'horloge placée au-dessus des portes de l'entrée du pavillon se faisait entendre. Dehors, le vent s'était levé. On prévoyait de la pluie pour toute la nuit. Ces premiers jours de septembre annonçaient l'arrivée prochaine de l'automne.

Tout en feuilletant son magazine, Monique tendit le bras et prit un morceau de pain aux bananes, quand un bruit strident se fit entendre. Elle sursauta en plaçant la main sur son cœur et en laissant tomber la bouchée qu'elle s'apprêtait à engouffrer. Sa collègue bondit de sa chaise. Elles regardèrent simultanément le panneau de sécurité qui se trouvait à leur droite, sur le mur : le signal venait de la chambre des prématurés. La plus jeune décrocha le téléphone et composa le numéro d'urgence du médecin de garde, tandis que l'autre s'élançait déjà vers la pièce.

Le moniteur de Brigitte clignotait et l'alarme résonnait encore au poste de surveillance. L'infirmière s'approcha du nouveau-né, vérifia l'appareil, puis le cœur du bébé. Brigitte ne respirait plus. Le médecin de garde arriva et poussa sans ménagement la femme en lui intimant d'appeler l'équipe de réanimation. Il entreprit les gestes de réanimation sur la petite, mais elle ne réagit pas. Le relâchement de son corps indiquait bien qu'elle n'était plus là. Il était déjà trop tard. Mais le médecin devait s'acharner, essayer encore, repousser la mort.

L'équipe de réanimation arriva, prenant immédiatement la relève. Or, il n'y avait rien à faire de plus : le bébé était mort. Le médecin passa plusieurs fois la main sur son front, tandis que son regard se posait sur le cardioscope qui aidait à maintenir les prématurés en vie : l'heure qui s'affichait sur le cadran indiquait minuit vingt. Il regarda sa montre : minuit vingt-sept. Il ignorait pourquoi, mais un détail l'agaçait et titillait son esprit rationnel. Une grande lassitude l'envahit et il ferma les yeux un instant. Il avait tant prié pour que cette fillette vive. Pour qu'enfin sa vie à lui trouve une raison d'être.

Déçu, le docteur Ghanem Benaissa chercha à comprendre ce qui venait de se produire. La mort n'était pourtant pas une nouveauté pour lui. Il la connaissait bien. Mais il y avait quelque chose dans celle de l'enfant qui l'inquiétait. Il jeta un coup d'œil plus observateur à l'appareil pendant que les infirmiers rangeaient le matériel.

« Et si le problème venait de l'engin lui-même et non pas de l'état précaire de l'enfant ? » se demanda-t-il en se rappelant les propos du père de Brigitte sur la fiabilité des appareils. Le cœur du bébé se serait-il arrêté à cause d'un vulgaire problème technique ?

Une infirmière lui tendit l'acte de décès. Il devait y indiquer l'heure de la mort et y apposer sa signature. Il tenait le document dans ses mains, mais gardait ses yeux sur le cardioscope. Un détail retint son attention, mais il éprouva du mal à le distinguer. Il remarqua alors que la prise qui reliait l'enfant à la machine qui l'aidait à rester en vie était à moitié sortie de sa fiche. Il plissa le front avant de signer le papier et de le remettre à l'infirmière qui attendait.

Il laissa son équipe quitter la chambre des prématurés et demeura seul.

« La morgue viendra chercher l'enfant dans quelques minutes », lui avait dit la plus jeune des infirmières du service. Il resta un long moment songeur, le bras droit replié sur son ventre, tandis que son menton reposait dans sa main gauche. Il aurait pourtant juré, en faisant sa tournée une heure plus tôt, que tout était en ordre.

C'est alors qu'il aperçut quelque chose d'étrange. Il se pencha sur le corps du bébé et repoussa le drap qui le couvrait à moitié. Un X était dessiné à l'encre sur son épaule droite.

— Mais qu'est-ce que c'est que ça ? murmura-t-il pour lui-même. Qui a bien pu faire ça ?

Il se hâta d'aller interroger l'infirmière de garde. Elle n'avait rien remarqué de particulier et n'avait aucune idée de la provenance du dessin.

* * *

Une enquête interne fut aussitôt menée à la demande du médecin et du conseil d'administration de l'hôpital. Une autopsie fut pratiquée sur Brigitte. Rien de particulier ne fut signalé. L'enfant était morte des suites d'un arrêt cardiorespiratoire. Un technicien examina l'appareil afin de tenter de découvrir si problème il y avait eu. Son examen fut détaillé et le rapport concis : le cardioscope fonctionnait très bien, seule la fiche mobile était en cause. Elle n'avait pas été complètement enfoncée dans le socle fixe. Ce mauvais contact avait causé la mort du bébé.

L'infirmière présente cette nuit-là fut longuement interrogée par le directeur du service sur le déroulement de la soirée et sur la procédure à suivre en cas d'urgence de ce genre. La femme, qui travaillait à cet hôpital depuis son inauguration et qui comptait plus d'une quinzaine d'années d'expérience, avait consciencieusement fait son travail.

Que s'était-il alors passé ? Comment la prise avait-elle pu sortir de moitié de la fiche électrique ? Était-ce un simple accident ? On interrogea la personne qui était en charge de l'entretien ménager ce soir-là, mais tout soupçon à son égard fut vite écarté. Débordé, le concierge n'avait pas eu le temps d'entrer dans la chambre qu'il avait prévu nettoyer plus tard dans la nuit.

On en conclut donc que l'appareil avait tout simplement fait défaut. Quelqu'un avait peut-être, par mégarde, accroché la prise et celle-ci était sortie de la fiche. Un stupide accident qui avait été fatal pour la prématurée.

Le dossier fut clos.

Les parents, anéantis par la nouvelle de la mort de leur enfant, rentrèrent chez eux afin de commencer le long processus du deuil de leur fille.

Un accident était un accident. Qui la direction aurait-elle pu blâmer ?

Seul le médecin qui s'était occupé du bébé demeura insatisfait de l'enquête interne.

Chapitre 2

— Bonsoir, inspecteur Laberge, dit l'agent en allant à la rencontre de la femme qui venait d'entrer dans l'appartement.

— C'est vous qui m'avez appelée ?

— Oui, madame. Venez, c'est par ici ! Je vous préviens, l'odeur est insupportable.

L'agent Bernard résuma en quelques mots les raisons l'ayant poussé à téléphoner à sa supérieure en pleine soirée.

— Je vous ai demandé de venir jeter un coup d'œil car je trouve cette affaire, disons... étrange.

— Étrange ? Je vous écoute, répondit-elle en entrant dans la cuisine où se trouvait le cadavre.

Le haut du corps de l'homme était couché sur la table, laquelle était entièrement couverte de vomissures et de nourriture, plus précisément de *fast food*.

Laberge plaqua aussitôt sa main sur sa bouche: une forte envie de régurgiter lui monta dans la gorge.

— Oh, mon Dieu ! laissa-t-elle échapper.

Elle jeta un regard à la ronde et constata que toutes les fenêtres avaient été ouvertes par son équipe.

« Essaie de ne pas y penser... », se dit-elle pour chasser toute envie de dégobiller. Sur les comptoirs s'empilaient des cartons de pizza, des boîtes de beignes, des bouteilles de boissons gazeuses, des sacs de croustilles, des barres de chocolat et autres aliments riches en calories et dépourvus de valeur nutritive. Ce n'était pas seulement des relents de vomissures, de friture et de gras qui emplissaient l'air, mais aussi une odeur de merde, puisque l'homme était assis dans ses déjections. La scène était horrible, tant dans ce qu'elle offrait à la vue que par ce qu'elle dégageait comme puanteur. L'équipe semblait en souffrir. Presque tous les policiers avaient noué des morceaux de tissu – linges à vaisselle ou serviettes de bain – autour de leur tête.

— Continuez, je vous écoute, fit Laberge tout en cherchant dans son sac l'écharpe qu'elle avait retirée plus tôt.

Elle la plaqua sur son nez et réalisa que l'homme qui lui parlait ne semblait pas troublé par les émanations.

— Mais comment faites-vous ? Contrairement à nous tous, vous ne semblez pas sur le point de rendre le contenu de votre estomac ? Seriez-vous anosmique ?

— Anosmique ?

— C'est le terme employé pour désigner quelqu'un qui n'a pas d'odorat.

Le policier regarda l'inspecteur Laberge, tandis qu'un léger sourire se dessinait sur son visage.

— Non, rien de ce genre et, surtout, rien d'aussi grave. Je n'aurais jamais pensé dire ça un jour, mais je suis très heureux d'avoir la grippe. Je ne sens absolument rien.

— Effectivement, on peut dire que c'est une bénédiction aujourd'hui, répondit-elle en lui rendant son sourire. Comme quoi même les mauvaises choses peuvent avoir un bon côté ! Bon, allez-y : je vous écoute pendant que je me cache derrière mon écharpe !

— D'accord. La victime se nomme Albert Charpentier. C'est sa femme qui l'a trouvé en rentrant de son travail vers vingt heures trente, heure à laquelle elle revient tous les soirs. Elle a aussitôt appelé les secours en espérant qu'il était peut-être encore possible de le réanimer, mais il était trop tard. Nous sommes arrivés peu de temps après les ambulanciers. Ils nous avaient appelés pour nous aviser du décès. Faites attention où vous mettez les pieds, il y a des vomissures par terre.

Laberge ne dit rien et s'écarta de la flaque sur le sol. Elle avait du mal à se concentrer sur les propos du policier. Elle ne pensait qu'à une chose : l'air frais de l'extérieur. Elle fit un effort, mais elle se sentait mal. Pendant que l'agent poursuivait ses explications, elle entreprit de détailler la scène, en espérant en oublier les odeurs.

L'homme qui gisait sur la table souffrait d'une évidente obésité morbide et la situation, si elle n'avait pas été aussi dramatique, aurait été presque caricaturale, avec toute cette nourriture autour de lui. L'aspect de cette surabondance d'aliments entourant l'homme et ses déjections manquait de naturel et ressemblait plutôt à une scène de film.

— Lorsque je suis arrivé, poursuivit le policier, j'ai aussitôt remarqué que les pilules de nitro de la victime étaient à portée de main. Les ambulanciers semblent dire qu'il est mort d'un arrêt cardiaque : rien ne permet de penser pour le moment qu'il soit décédé d'autre chose. Il n'y a que l'autopsie qui pourra le confirmer. Mais je trouve la situation étrange. Et puis, il y a tout ce vomi et cette merde ! On dirait que le gars s'est complètement vidé. Ce qui a retenu le plus mon attention, c'est le commentaire de sa femme lorsque je suis arrivé. Elle a affirmé... attendez, je sors mon carnet... elle a dit : « Je ne comprends pas pourquoi mon mari est couché à travers toute cette nourriture, puisqu'il suit une diète très stricte depuis plus de trois mois. C'était ça ou la mort. » La dame a affirmé que son mari a fait un arrêt cardiaque il y a quatre ou cinq mois et, depuis, il faisait extrêmement attention. D'ailleurs, il a subi une intervention chirurgicale il y a plusieurs semaines et il aurait déjà perdu plus de vingt kilos.

— Il peut très bien avoir rechuté, émit la policière en se penchant pour tenter de discerner le visage du mort à travers les frites, les restants d'un club-sandwich, les rondelles d'oignons et les vomissures.

Laberge se sentait nauséeuse et faisait de gros efforts pour ne pas déverser le contenu de son propre estomac à ses pieds.

— Quel âge a cet homme ? demanda-t-elle en serrant les dents. « Concentre-toi, Jeanne, concentre-toi... »

— Trente-cinq ans.

L'inspecteur garda le silence un moment, se contentant d'observer chaque élément de la scène et de la pièce.

— Où se trouve sa conjointe ? poursuivit-elle.

— Dans le salon, à côté. Elle refuse d'entrer dans la cuisine. Elle est sous le choc.

— Quel est son nom ?

— Jocelyne Charpentier.

— OK, je vais aller la voir. Que l'on prenne les empreintes dans la cuisine... et qu'Yvon Savard soit averti. Je veux une autopsie le plus rapidement possible. Je veux connaître la cause et l'heure de la mort, et surtout le contenu de cet estomac. Enfin, de ce qu'il en reste... On ne le bouge pas tant qu'on n'a pas passé la pièce au crible.

— Le bouger sera difficile vu son poids. Les deux ambulanciers sont incapables de le soulever. Ils ont demandé de l'aide. Elle devrait arriver sous peu.

Jeanne jeta un nouveau regard sur l'homme dont le visage reposait sur la table. Son corps devait peser près de deux cents kilos.

— Hum, évidemment. OK, je vais voir son épouse.

Trop contente de fuir enfin la cuisine, l'inspecteur Laberge se faufila dans un sombre couloir jusqu'au fond de l'appartement, où elle constata que l'air était déjà plus respirable. Elle déboucha dans un salon double où trônait un lit, ce qui la surprit. Elle comprit rapidement que le couple devait faire chambre à part, probablement à cause du poids du monsieur.

Elle se demanda pendant un instant comment était leur vie sexuelle, mais elle chassa aussitôt cette pensée, se disant que sa question était idiote.

— Madame Charpentier, je suis l'inspecteur Jeanne Laberge du SPCUM[1], dit-elle en lui tendant la main.

---

1. Service de police de la communauté urbaine de Montréal, aujourd'hui renommé Service de police de la ville de Montréal (SPVM).

— Ah oui, je sais. Vous êtes la première femme à être devenue inspecteur de police, ici... Je vous ai vue à la télé.

— Euh, oui, effectivement, c'est bien moi.

Laberge se retenait pour ne pas rouler des yeux. Ce genre de commentaire, on le lui servait un peu trop souvent à son goût. Plus précisément depuis le dénouement de son enquête au sujet du meurtre d'Augustine Desautels, que les journalistes avaient appelé *L'affaire de la Vieille Demoiselle*[2]. Elle pensait que ça durerait un temps mais, depuis, elle était régulièrement conviée à des émissions de télévision pour donner son avis sur le féminisme. La plupart du temps, elle refusait ces invitations. Elle aurait tant souhaité mener sa carrière sans tambour ni trompette, d'autant plus qu'elle ne se sentait pas plus féministe que communiste ou shintoïste. Elle faisait juste ce qu'elle avait toujours voulu faire, ce pour quoi elle était faite. Elle avait simplement réalisé son rêve. Si celui-ci avait été d'être danseuse étoile ou mère de cinq marmots, elle l'aurait atteint avec la même détermination. Le féminisme résonnait bel et bien en elle, sans toutefois trouver de point d'ancrage. Elle pensait qu'en fin de compte, ça voulait certainement dire qu'il fallait être soi-même. Elle n'avait pas choisi la profession d'inspecteur pour devenir la première à exercer ce boulot, mais plutôt parce qu'elle voulait être flic, tout bonnement. C'était peut-être ça, l'égalité : choisir ce qui nous fait vibrer.

---

2. Voir *La valse des Odieux*, Montréal, Recto-Verso éditeur, 2012, 304 pages.

« Tu devrais être contente, les hommes n'ont pas toute cette publicité ! » lui répétait souvent son supérieur, l'inspecteur-chef Claude Levasseur. Elle ne savait jamais s'il était sarcastique. Avec lui, mieux valait ne pas chercher à comprendre. Levasseur était Levasseur !

Jeanne Laberge devait vivre avec son époque et l'année 1975, comme les précédentes, marquaient ces changements de société ; elle le comprenait, elle approuvait même tout cela. La femme prenait sa place auprès des hommes et se montrait parfois discourtoise ou enragée envers lui. Laberge était ambivalente sur ce dernier sujet même si elle s'y trouvait confrontée, et cela, bien malgré elle.

« C'est peut-être nécessaire pour parvenir à se faire entendre », avait-elle dit à David, son amant, alors qu'elle venait de refuser une énième entrevue et qu'elle se posait des questions sur sa position. Il faudrait bien un jour qu'elle s'arrête pour y réfléchir sérieusement.

« Et pas aujourd'hui ! » songea-t-elle. Revenant à ses moutons, elle s'adressa à la veuve.

— Je sais que le moment est difficile, madame, mais je dois vous poser quelques questions sur ce qui s'est passé ce soir. Pouvez-vous me raconter les circonstances entourant la découverte du corps de votre mari ? Je suis au fait que vous avez déjà relaté votre histoire au premier policier qui est arrivé sur les lieux, mais j'aimerais que vous me la répétiez dans vos propres mots. Essayez de ne pas omettre de détails, s'il vous plaît.

La femme, une grande rousse pas très jolie mais aux yeux d'un bleu renversant, se tordait les mains. Elle semblait dépassée par les événements.

— Oui, je vais essayer... Bon, je suis rentrée du travail vers vingt heures trente, comme d'habitude. Je suis caissière au cinéma Bélanger, à quinze minutes à pied d'ici. En semaine, la dernière représentation est à vingt heures. Donc, une fois que le film débute, je peux partir ; l'autre caissière reste pour faire payer les quelques retardataires. Je me suis arrêtée en chemin afin de faire quelques courses pour le souper. En entrant dans la maison, j'ai été étonnée de ne pas entendre Albert me crier : « Bonsoir, ma chérie ! » C'est ce qu'il me dit chaque fois que je reviens du boulot. Je pensais qu'il ne m'avait pas entendue passer la porte. Ce qui m'a frappée tout de suite, c'est l'odeur. C'était épouvantable. Je ne comprenais pas d'où elle venait pour être si puissante. J'ai alors pensé que ça venait de l'extérieur : certainement un bris de canalisations ou quelque chose du genre. C'est en arrivant dans la cuisine pour déposer mes sacs que je l'ai trouvé... comme ça. C'était horrible ! Et puis cette odeur qui me prenait à la gorge... J'ai tout de suite su qu'il était mort. Je suis désolée, mais je n'ai pas pu me retenir... j'ai vomi, conclut-elle comme si elle avait honte de sa réaction.

— C'est très compréhensible, ne vous en faites pas avec ça. Mais pourquoi aviez-vous cette certitude que votre mari était décédé ? Il aurait pu être inconscient.

La femme secoua négativement la tête.

— Albert est cardiaque. Ses problèmes de santé sont dus à sa condition physique. Il a déjà subi deux pontages coronariens et son cardiologue lui a dit que la prochaine crise pourrait lui être fatale. C'est pour ça qu'il a subi une intervention chirurgicale à l'estomac et que, depuis quelques mois, il suivait une diète sévère. Il devait perdre plus de soixante pour cent de sa masse pour recouvrer une meilleure santé. Il était suivi de près... Je ne comprends pas pourquoi il a fait ça...

— Vous pensez que votre époux a commandé toute cette nourriture ?

— Bien sûr ! Qui d'autre voulez-vous que ce soit ? ! s'étonna la femme. Très honnêtement, je ne vois pas d'autre explication... même si ça me semble tout à fait incompréhensible.

— Quelqu'un aurait pu la lui apporter. Un ami peut-être...

— Un ami ? Non, ce n'est pas possible. Albert n'a que moi. Il n'est pas de la région, il ne connaît personne ici. Nous sommes mariés depuis cinq ans. Mon mari a quitté la Gaspésie pour venir vivre avec moi. Depuis qu'il est à Montréal, il ne s'est pas fait d'ami. Il faut dire qu'il ne sort que très, très rarement, pour ne pas dire jamais. À l'époque, il avait déjà des problèmes de poids, mais pas comme aujourd'hui. J'ignore pourquoi il mangeait autant... je ne l'ai jamais su. Albert me cachait des choses de son passé, je le sais. Je sais qu'il avait été malheureux, malgré ses efforts pour me faire croire le contraire... Il se cachait derrière le rire et la bonne humeur, mais il y avait quelque chose de plus grave derrière ça, je le voyais dans ses yeux. Depuis son opération, toutefois, son optimisme semblait bien réel.

Laberge acquiesçait.

— Madame Charpentier, de quoi vivait votre mari ? Dans quel domaine travaillait-il ? Vous me dites qu'il ne sortait jamais de chez vous : que faisait-il de ses journées ?

— Albert ne travaillait pas à l'extérieur. Effectivement, il ne quittait en aucun cas l'appartement. Comment aurait-il pu ? Sortir de la maison était, pour les rares fois où cela a dû se produire, un événement aussi pénible que compliqué. Mon mari a touché un petit héritage d'une tante, il y a de cela quatre ans. Ce montant nous permettait d'arrondir les fins de mois, car mon salaire ne couvre pas tout, vous vous en doutez. Albert est... était informaticien. Il travaillait depuis quelque temps sur le développement d'un... logiciel.

— Expliquez-moi. Je sais ce qu'est un programme informatique, on en entend de plus en plus parler, mais...

— C'est en lien avec les ordinateurs. Personnellement, je n'y connais pas grand-chose. Albert pensait, comme plusieurs d'ailleurs, que bientôt l'ordinateur serait utilisé par tout le monde, et que chaque maison aurait le sien. Ce dont j'ai toujours douté : je ne connais personne qui possède ce type d'appareil chez lui à part nous, alors que ça devienne général... Non, moi, je n'y crois pas. Je ne vois pas l'intérêt d'avoir ça à la maison si l'on ne travaille pas dans un domaine comme la recherche ou les mathématiques. Enfin, comme je vous l'ai dit, je ne m'y connais pas, mais j'ai des doutes. En plus, ça coûte une petite fortune, ces machins-là ! Mais bon, c'était son boulot et il travaillait là-dessus avec une équipe française. Ils espéraient créer un jeu, je pense. Mon mari suivait de près les développements de deux jeunes Américains... Attendez, que je me souvienne de leurs noms : ah, oui ! Bill Gates et Paul Allen. Je crois qu'ils viennent de mettre cet outil sur le marché dans le but de le commercialiser.

— Un jeu ?

— Oui, pour les enfants. Mais je suis désolée, je ne peux pas vous en dire plus. Je n'y comprends rien moi-même. Mais ce divertissement se jouerait sur un ordinateur.

— Tiens donc ! Il me semble pourtant qu'il faut avoir de solides connaissances pour utiliser un tel outil. Comment les enfants feront-ils ?

— Je ne sais pas. Et, très honnêtement, ça ne m'intéressait pas beaucoup. Albert, lui, aurait pu vous en parler des heures... C'était une vraie passion !

— D'accord. Revenons à l'argent, si vous n'y voyez pas de problème. Est-ce que votre situation financière était une source de mésentente entre vous et votre mari ? C'est bien souvent un sujet de discorde dans les couples.

— Non, pas du tout. Nous ne vivons pas dans la misère, vous savez, nous avons tout ce qu'il faut. Mais j'avoue que nous faisons attention. L'héritage d'Albert nous aide beaucoup, ça c'est sûr. Non, l'argent n'a jamais été un obstacle entre lui et moi... Ça fait longtemps que je sais que l'argent n'est pas synonyme de bonheur, croyez-moi ! Avant de rencontrer Albert, je vivais avec un homme fortuné, mais si vous saviez comme j'étais malheureuse... Il me battait, et je devais le remercier pour chaque bouchée que je mangeais, pour chaque chose qu'il faisait, même pour ses coups. Il m'offrait des produits de luxe pour mieux me frapper après. C'était son truc ! Alors, vous savez, moi, l'argent... Albert, lui, c'était la bonté incarnée, la douceur même ; il était ma raison de vivre. J'aurais vécu dans la pauvreté complète pour être simplement à ses côtés… Je ne sais pas si vous comprenez.

— Je crois que oui.

— Comment je vais faire sans lui…

Ce n'était pas une question, mais bien une constatation. La femme se remit à pleurer. Laberge lui laissa le temps de reprendre ses esprits. Elle fit signe au policier qui l'avait appelée et qui passait dans le corridor de l'attendre une seconde, laissant ainsi à madame Charpentier l'intimité qu'il lui fallait pour sécher ses larmes.

— Excusez-moi, je reviens tout de suite.

Laberge s'approcha de l'agent en uniforme.

— Trouvez d'où provient toute cette nourriture, lui murmura-t-elle. Il doit bien y avoir des factures quelque part. Vous y découvrirez le nom d'un resto, d'une épicerie ou d'un dépanneur. Examinez aussi les boîtes de pizza : un nom y est peut-être imprimé. Vous enverrez quelqu'un pour savoir qui a passé la commande. Je veux savoir quand et comment les factures ont été payées, et par qui.

— Très bien ! Je m'en occupe tout de suite. Autre chose ?

— Oui, l'homme doit avoir des carnets de notes, des écrits en lien avec son métier. Je les veux, ainsi que son agenda s'il en a un. Merci.

L'inspecteur Laberge revint vers la femme, qui essuyait ses yeux.

— Vous allez mieux ? Souhaitez-vous faire une pause ?

— Ça va aller, merci, dit-elle en s'asseyant sur le lit.

Heureusement, les deux fenêtres de la pièce procuraient un peu d'air, et la fraîcheur de septembre aidait à chasser les odeurs de la pièce voisine.

— Alors, je poursuis, madame Charpentier. J'ai vu que votre mari possédait des comprimés de nitroglycérine qui, normalement, doivent être pris en cas de malaise pour éviter l'angine. De toute évidence, il ne s'en est pas servi. Pourquoi, selon vous ? Le flacon se trouvait à portée de main...

L'épouse haussa les épaules en signe de dépit.

— Je ne sais pas... Peut-être n'en a-t-il pas eu le temps. Je l'ignore. Pourtant, mon Albert se souciait beaucoup de sa santé. Il suivait sa diète avec détermination, je peux vous le jurer. J'ignore pourquoi il a commandé toute cette nourriture. Il savait qu'il n'avait pas le droit de manger ces aliments et qu'il risquait de mourir s'il avait une nouvelle attaque... Je ne comprends pas, fit-elle en secouant la tête. Je ne comprends rien...

— Madame, je dois vous poser une question difficile, mais nécessaire...

La femme plongea son regard azur dans celui de l'inspecteur. Elle semblait démunie, comme une enfant. Jeanne ne douta pas un instant de l'amour qu'elle éprouvait pour son mari. À voir l'éclat de sa souffrance dans ses yeux, le doute n'était pas possible.

— Oui ? bredouilla-t-elle.

— Votre mari était-il dépressif, broyait-il du noir ? Était-il malheureux... de sa condition ?

— De son obésité, vous voulez dire ? N'ayez pas peur du mot, il en parlait ouvertement. Il était très lucide quant à son poids.

— Très bien. Pensez-vous que l'obésité de votre mari pourrait être la cause de sa rechute ? Sa dépendance à la nourriture pourrait-elle être si forte qu'il aurait cherché le moyen d'en finir ?

— Vous vous demandez si cette mise en scène ne serait pas une tentative de suicide déguisée, c'est ça ? Si sa goinfrerie n'était pas orchestrée dans l'unique intention de provoquer la crise cardiaque, celle qui le foudroierait sur place ? Ça me semble un peu poussé, mais je comprends votre raisonnement.

Laberge opina doucement de la tête. C'était exactement ce qu'elle voulait savoir. Madame Charpentier était très perspicace.

— Ma question est peut-être insensée et je ne m'y connais pas dans ce domaine, mais je pars du principe que lorsqu'on mange trop, notre corps doit fournir un grand effort pour parvenir à éliminer le surplus de nourriture, non ?

— Je ne pense pas que ce soit si simple, mais je suis votre logique. Il y a quelques mois, Albert a subi une intervention chirurgicale, un traitement innovateur, ce qui fait qu'il ne pouvait plus manger autant qu'avant. Néanmoins, mon mari n'était pas dépressif et encore moins suicidaire. Depuis l'intervention, il était rempli d'optimisme. La joie incarnée ! J'avais l'impression qu'il était enfin heureux. Son rire devenait franc. Mais Albert a toujours été foncièrement positif, même dans les moments les plus sombres de sa vie. C'est d'ailleurs cette qualité qui a fait que je suis tombée amoureuse de lui. Malgré un passé trouble et ce poids qui l'isolait du reste du monde, il n'était jamais déprimé. Il n'avait rien de bien sexy, j'en conviens, mais si vous saviez comme il était charmant et drôle.

La femme se remit à pleurer. Laberge posa sa main sur son épaule.

— C'était un être exceptionnel. Je sais qu'il prenait son régime très au sérieux... répéta-t-elle. Nous voulions un enfant, c'était notre rêve à tous les deux... Je ne comprends pas ce qui s'est passé.

Lorsque l'inspecteur Laberge revint dans la cuisine, l'odeur la reprit à la gorge. Elle vit que ses hommes avaient terminé leur travail. Le photographe rangeait son équipement et deux policiers avaient fini de prendre en note certains éléments de la scène. Des pompiers venaient d'arriver et discutaient de la façon dont ils allaient procéder pour soulever la victime.

« Il est grand temps qu'ils enlèvent le corps », pensa-t-elle en observant les mouches qui passaient du corps à la nourriture puis aux déjections...

Un agent s'avança vers elle, un papier à la main.

— Je n'ai trouvé qu'une facture sur le comptoir. Je vais faire une vérification auprès du restaurant et demander également qui a livré cette nourriture. Il semble que tout vienne du même endroit : le nom de l'établissement apparaît un peu partout sur les emballages.

— Très bien. Une dernière chose : interrogez le propriétaire de l'immeuble et les voisins. Ils ont peut-être vu ou entendu quelque chose d'inhabituel...

— Vous pensez à quoi ?

— Je ne sais trop, mais il y a effectivement dans cette affaire des trucs qui clochent... Ce tableau, dit-elle en désignant le corps affalé sur la table, me semble presque monté de toutes pièces. Il y a un manque de naturel dans la scène. Vous avez eu raison de m'appeler, agent Bernard.

Laberge fit signe au policier de se pousser afin de laisser passer les pompiers et les gens de la morgue avec le corps. Elle vit la femme d'Albert Charpentier qui s'avançait lentement comme pour les suivre. L'inspecteur l'arrêta sur le pas de la porte. La veuve était anéantie.

— Madame Charpentier, vous ne pouvez pas les accompagner. Le corps de votre mari part pour l'hôpital où une autopsie sera effectuée, à ma demande.

— Une autopsie ? Mais pourquoi ?

— Nous devons connaître la raison exacte de sa mort.

— ...

— Dites-moi, connaissez-vous quelqu'un qui serait en mesure de vous accueillir pendant quelques jours ? Je pense que vous devriez quitter votre appartement pour un moment. Vous ne devez pas demeurer ici pour des raisons évidentes. Une équipe de nettoyage passera demain.

— Oui, c'est ce que je prévoyais faire. Je ne peux demeurer ici...

Jeanne s'attendait à ce que la femme lui dise « à cause de l'odeur », mais elle fut surprise de constater qu'elle n'en faisait même pas mention.

— C'est trop dur, sans lui... Je vais aller chez une amie. Je lui ai parlé avant votre arrivée.

— Avant de partir, veillez à me laisser ses coordonnées, je vous prie.

La femme opina de la tête avant de disparaître dans le fond de l'appartement pour préparer ses affaires.

* * *

Lorsque Jeanne Laberge poussa la porte de son logement, il devait être passé minuit. Elle retira tous ses vêtements, qu'elle lança dans le panier à linge sale, et alla directement sous la douche. Elle espérait chasser l'odeur de l'appartement des Charpentier qui lui collait aux cheveux et à la peau. Elle resta longtemps sous le jet d'eau, repensant à ce qu'elle avait vu dans cette cuisine de la rue Holt. Pour l'instant, elle ne pouvait rien en tirer de concluant. Elle devait attendre les premiers résultats de l'autopsie, mais elle avait l'impression, elle le sentait au creux de son ventre, que cette mort n'avait rien de naturel.

Son intuition était toujours juste et elle avait appris à s'y fier au cours de ses enquêtes.

« L'instinct, chez un policier, est aussi essentiel à son travail que les mains pour un chirurgien ou un pianiste, lui répétait souvent Levasseur. Tu dois t'y fier, en tenir compte... »

Elle se sécha et traversa nue son appartement jusqu'à sa chambre. Elle tira doucement les draps pour ne pas trop déranger celui qui partageait ses jours et ses nuits, et se colla contre lui. La chaleur de son amant lui fit du bien. Elle passa son bras sous le sien pour caresser son torse. L'homme émit un léger grognement avant d'attraper sa main et de la faire glisser le long de son corps.

Il était maintenant réveillé, et c'était bien ce qu'elle avait espéré.

* * *

Le docteur Ghanem Benaissa fixait le terrain de stationnement qu'il apercevait de la fenêtre de son bureau. Il n'observait rien en particulier. Son esprit était à des lieues de là, bien loin de l'hôpital Maisonneuve-Rosemont où, depuis son ouverture, il pratiquait la médecine.

Cela faisait plus de quinze ans qu'il avait immigré au Québec, et il avait travaillé fort pour avoir le droit d'exercer sa profession. À son arrivée, il avait dû s'inscrire à l'université pour refaire une partie de sa formation en médecine afin de devenir généraliste, fonction qu'il occupait dans son pays d'origine. Il avait relevé ses manches, travaillant la nuit à conduire un taxi et à sillonner la ville dont il connaissait maintenant la plus petite ruelle, et étudiant à temps plein le jour pour terminer ses études au plus vite.

Cinq ans après son arrivée, il avait enfin obtenu son droit de pratique et avait pu de nouveau se consacrer à sa mission de vie: soigner les gens. Il avait travaillé dans un autre hôpital avant de faire son entrée dans celui qui avait ouvert ses portes en 1971 dans le quartier Rosemont de Montréal, à deux pas de chez lui. Il assurait les gardes de nuit, ce qui faisait parfaitement son affaire car il souffrait d'insomnie.

Benaissa ne dormait pas ou très peu. Veuf depuis seize ans, il ne parvenait pas à oublier les horreurs de la guerre et surtout la mort de sa femme, tuée alors qu'elle tentait de sauver un enfant qui venait de recevoir une balle dans le ventre. Il avait appris la nouvelle à l'hôpital d'Alger où il soignait les militaires. Convoqué dans le bureau du directeur, on lui avait appris sans ménagement (après tout, le pays était en guerre) que sa femme venait de mourir. On lui avait donné quelques détails, mais jamais il ne sut exactement d'où était venue la balle, ni de quel camp. Il ne le saurait sans doute jamais. Il valait mieux penser que son épouse avait été assassinée par l'ennemi.

Anéanti, il était retourné au chevet de ses patients. Arrivé devant le soldat qu'il soignait, il était resté longtemps muet, le fixant d'un regard dépourvu de tout sentiment, lui qui avait toujours eu énormément de compassion. Il avait regardé le militaire dans les yeux, avait terminé son bandage et était parti. Après avoir retiré son sarrau, ramassé ses effets personnels, il avait quitté l'hôpital sans rien dire à personne, pas même un au revoir, pour ne jamais revenir.

Après les obsèques de sa tendre Aïcha, il avait fait ses valises et quitté l'Algérie. Il ne supportait plus la guerre et ses angoisses. Il avait tourné le dos à sa vie et à ses souvenirs. Mais parvient-on jamais à les fuir ? Ces derniers finissent toujours par vous retrouver.

Benaissa avait émigré vers un pays qui ne cherchait pas les conflits. C'était un pays jeune, sans antagonisme majeur, un pays qui offrait une vie honnête à ceux qui le désiraient : le Canada.

Ce pays devint sa terre promise. Il pensait alors oublier son passé, mais il avait vite compris que l'on n'efface rien, on apprend seulement à vivre avec ses souvenirs.

Il espérait tout de même un jour refaire sa vie. Il avait toujours su qu'il lui faudrait du temps, mais pour le moment, il n'y parvenait pas. Aïcha et la mort traversaient chacune de ses nuits pour le laisser quelque peu désemparé au petit matin. Et c'était bien pour chasser ses fantômes qu'il préférait être de garde la nuit.

Mais ce matin, alors que les premiers rayons du soleil faisaient s'évaporer les gouttes de rosée des pare-brise des voitures, il constata que quelque chose l'obsédait. Un élément dans son quotidien occupait son esprit : le décès de la petite Brigitte survenu deux jours plus tôt.

Il connaissait bien la mort. Il avait vu de quoi elle était capable, surtout chez des êtres innocents. Mais celle de ce bébé avait quelque chose de singulier. La gamine avait ce qu'il fallait pour s'en sortir. Il en avait été persuadé dès l'instant où il l'avait vue la nuit de son arrivée. Ce constat revenait sans cesse le hanter. Et il demeurait convaincu que lorsqu'il était passé voir le poupon à vingt-trois heures, soit moins de deux heures avant son décès, tout était normal. Il se souvenait d'avoir même vérifié tous les appareils. Si la prise n'avait pas été enfoncée dans son socle, il l'aurait remarqué. Benaissa se repassait en boucle ces quelques minutes au chevet du poupon, et il ne voyait rien d'anormal.

« Je suis certain que le matériel fonctionnait parfaitement… Que s'est-il passé après mon départ ?… Je ne vois qu'une chose : quelqu'un est entré dans la chambre après moi. Il ne peut en être autrement ! Une prise ne sort pas elle-même de sa fiche… Pourtant, Monique est affirmative : elle n'a vu personne… par contre, ça ne veut pas dire qu'il n'y avait personne… »

Le docteur Benaissa ne remettait aucunement en doute la parole de l'infirmière. Il la savait franche, honnête et très professionnelle, quoique intransigeante parfois.

« Ce ne peut être qu'un accident, sinon, quoi d'autre ?... Je ne peux concevoir l'idée qu'une personne aurait volontairement joué avec la vie de cet enfant. On aura accroché la prise qui se sera débranchée de moitié et qui aura produit un flux alternatif du courant, provoquant ainsi la mort de Brigitte... Mais pourquoi ai-je tant de mal à y croire ? conclut-il pour lui-même. Et dans ce cas, pour quelle raison la personne responsable de cet accident ne s'est-elle pas manifestée ? Par peur des représailles ? »

Malgré lui, Benaissa devait oublier cette histoire. L'administration avait fermé le dossier, le sujet était clos. Le décès de Brigitte était dû à un problème technique, comme ça arrive parfois. Cette version était inscrite dans les documents, mais ce n'était pas celle qu'on avait servie aux parents, qui auraient pu poursuivre l'hôpital pour négligence s'ils avaient su la vérité. On leur avait plutôt dit que leur fille était décédée d'un arrêt cardiorespiratoire dû à la précarité de son état de santé.

Les hôpitaux taisaient toujours les « accidents » de ce genre. Les médecins n'étaient pas des dieux et ils ne parvenaient pas à sauver tout le monde. Il arrivait même que certains d'entre eux se montrent incompétents ou dépassés. N'était-ce pas la preuve des limites que leur imposait la vie ? Même si la science médicale poussait toujours plus loin ses connaissances et ses découvertes, elle ne remplaçait jamais la création.

Évidemment, ce n'était pas ce que les gens voulaient entendre: tout médecin devait sauver la vie de l'être qui lui était confié. On ne lui demandait pas s'il pouvait le faire, on voulait qu'il le fasse. On attendait de lui un miracle, rien de moins.

Benaissa se leva, retira son sarrau et rangea ses affaires. Le jour était maintenant levé et il avait terminé son quart de travail. Il allait rentrer chez lui et tenter de dormir quelques heures. Brigitte allait revenir dans son sommeil pour grossir le nombre de ses fantômes.

Décidément, la mort le hantait et ne lui laissait aucun répit. Il savait pertinemment qu'elle ne le laisserait tranquille que le jour où il pardonnerait à la vie.

Chapitre 3

Jeanne Laberge feuilletait le rapport des déclarations des témoins concernant une enquête sur laquelle elle travaillait depuis un moment déjà. Son équipe et elle piétinaient complètement. La jeune Francesca Pasquali, âgée de dix-neuf ans seulement, avait été renversée par une voiture alors qu'elle traversait la rue. Depuis cet horrible accident qui lui avait occasionné des lésions organiques et d'importantes fractures, entre autres au crâne, la polytraumatisée était dans le coma et reposait dans un état critique à l'hôpital.

Le conducteur du véhicule en question avait pris la fuite. Aucun indice, pour le moment, ne permettait de suivre la moindre piste. À cause de l'heure matinale, aux alentours de cinq heures trente, et de l'endroit, une petite rue dans un quartier tranquille, seulement deux personnes avaient été témoins de la scène, mais aucune n'avait eu la présence d'esprit de noter le numéro de la plaque. Les versions concernant la description de la voiture n'étaient même pas concordantes. À part la couleur de la berline, noire, et la direction prise, le sud, il n'y avait aucun autre élément pouvant aiguiller les recherches. L'inspecteur Laberge avait vaguement espéré l'appel d'un garagiste lui signalant quelque chose, mais rien. Silence radio.

Bref, elle n'avait aucun indice et il ne se passait rien. L'enquête était au point mort et ça l'enrageait de penser que cette pauvre fille luttait pour sa vie pendant qu'un irresponsable sans foi ni morale se baladait les mains dans les poches. Ce genre d'injustice l'irritait au plus haut point.

Un avis de recherche et un appel à la population avaient été lancés, mais personne ne s'était encore manifesté.

Laberge reposa les documents en poussant un profond soupir de découragement.

— Mais où chercher, bordel ?!! murmura-t-elle en tapotant le dossier. Il doit bien y avoir un indice quelque part. Quelqu'un qui sait quelque chose, forcément…

Elle s'alluma une cigarette et reprit les déclarations, qu'elle lut encore une fois, à la recherche du détail qui lui aurait échappé.

Au même instant, on frappa à la porte de son bureau : c'était James Nixon, son adjoint.

— J'ai reçu ça pour toi, dit-il en entrant. C'est le rapport de Savard sur cet homme découvert mort chez lui, avant-hier.

L'inspecteur prit le dossier et s'empressa de lire les commentaires du pathologiste judiciaire, tout en opinant de la tête. Nixon attendait en silence qu'elle lui transmette les conclusions.

— Eh bien, nous avons une drôle d'affaire sur les bras ! Tu sais ce que Savard a découvert à l'autopsie ?

Nixon secoua négativement la tête.

— Deux cure-dents cassés, fit-elle en haussant les sourcils en signe d'étonnement et en observant son adjoint, qui ne cachait pas sa surprise. Il les a retrouvés dans le tube digestif. Ils auraient perforé la membrane, créant ainsi une inflammation du péritoine. Albert Charpentier est décédé d'une péritonite.

— Oh, que ce doit être douloureux ! Il est mort dans d'atroces supplices, tu peux me croire. Je le sais, car mon beau-frère en a déjà souffert, à la suite d'une appendicite. Je me souviens des douleurs qu'il a eues. Je pense que c'est la seule fois où je l'ai vu pleurer. Mais je ne comprends pas le cas de Charpentier. Comment avale-t-on deux cure-dents sans s'en rendre compte ?

— Hum, ouais ! dit Laberge en parcourant le reste du document. Attends, Savard a ajouté une précision dans ses commentaires : il devait bien se douter que nous nous poserions la question. La victime portait un dentier, ce qui explique qu'il n'ait probablement pas senti les cure-dents en mangeant ce qu'il confirme être un club-sandwich. Avalés avec la nourriture, ils se sont ainsi retrouvés dans l'estomac, pour ensuite prendre le chemin du tube digestif. Selon Savard, ce n'est pas rare.

— Pas rare ? Jamais entendu parler de ça… Eh bien ! Mais je comprends mal comment on ne sent pas un cure-dent passer : ce n'est pas petit et c'est, disons, assez pointu, non ?

— Je pense que ça doit dépendre de la façon dont tu manges. Je connais des gens qui avalent leur nourriture sans vraiment la mastiquer…

— Des goinfres, tu veux dire... La prochaine fois que je commande un club, fais-moi penser de bien mâcher chaque bouchée !

— Je lis également, poursuivit Jeanne, qu'il souffrait de tension artérielle et de diabète. Il n'est pas mort d'un infarctus, contrairement à ce que nous pensions au départ.

— Les comprimés de trinitrine ne lui servaient donc à rien au moment de son décès, conclut Nixon en tirant le fauteuil qui faisait face au bureau de sa supérieure. Une mort bien étrange, je trouve... Triste.

— Ouais, comme tu dis... Bien étrange...

— À quoi penses-tu, exactement ? Je connais cette expression sur ton visage.

— Je ne sais pas, ce n'est qu'une intuition. Mais lorsque je regarde ces photos, dit-elle en sortant l'un des clichés de son dossier, j'ai l'impression de me retrouver devant une mise en scène. Ce que je lis ici, dit-elle en montrant le rapport, et ce que l'épouse de cet homme... comment s'appelle-t-elle déjà ?

— Jocelyne.

— Oui, c'est ça. D'après ce qu'elle m'a raconté sur son mari et sur ses intentions, eh bien, tout ça mis ensemble me paraît assez contradictoire. Selon toute vraisemblance, Albert Charpentier aurait lui-même commandé cette nourriture et se serait gavé jusqu'à ce qu'il avale deux malheureux cure-dents et en meure. Tu me dis que cette infection est très douloureuse. Pourquoi alors n'a-t-il pas appelé à l'aide, dès les premiers malaises ? Savard écrit ici que les symptômes d'une péritonite sont des vomissements, des diarrhées et des douleurs abdominales. Il me semble que j'appellerais les secours, non ? Et d'après ce qu'on a vu là-bas, le pauvre s'est pas mal vidé avant de mourir. Ça ne colle pas. Et puis, comment peut-on manger autant et avaler deux cure-dents de suite sans s'en rendre compte ? Un à la limite, je peux comprendre, mais deux, ça me semble beaucoup. Et comme tu dis, lorsque ça passe dans la gorge, ça doit se sentir, même si tu avales goulûment.

— À moins qu'on ne te force à avaler...

— Oui... c'est exactement ce à quoi je pense.

— Sa femme t'a dit qu'il ne connaissait personne et donc qu'il ne recevait jamais de visite...

— Mais il a tout de même des contacts avec l'extérieur, puisqu'il travaille sur un jeu. Nous devons vérifier.

— Et elle ? Je veux dire, Jocelyne Charpentier ?

Jeanne fit une grimace en secouant la tête.

— Quoi ? Tu me demandes si je la crois capable de faire avaler deux cure-dents à son époux ? Je ne sais pas, tout est possible, tu le sais comme moi, mais je ne pense pas qu'elle ait menti. Si tu avais vu son regard, ses yeux ne trichaient pas. Elle aimait sincèrement son mari... et il y a cette histoire d'enfant.

— Quel enfant ?

— Son conjoint a subi une chirurgie bariatrique. C'est assez nouveau comme procédé. L'opération vise à réduire la capacité de l'estomac. Ne m'en demande pas plus, j'ignore ce que c'est exactement. Mais depuis, il suivait un régime très strict dans le but de perdre du poids et de voir sa santé s'améliorer, car il voulait fonder une famille. C'était leur rêve à tous les deux, dit Laberge en plissant le front. Nan, ce n'est pas logique, cette histoire. Je veux tirer ça au clair. Nous allons pousser un peu plus loin nos recherches avant de conclure à une mort naturelle.

— Ça me va. On commence par où ?

— Par le médecin traitant d'Albert Charpentier. Je veux savoir si notre bonhomme suivait sa diète aussi bien que sa femme le dit et s'il était sérieux dans sa démarche. Prends rendez-vous avec lui pour cet après-midi, si c'est possible. Moi, je vais trouver Levasseur pour lui exposer les raisons de ces vérifications.

* * *

Il était plus de dix-sept heures lorsque Laberge sortit de la clinique du docteur François Lamontagne pour rejoindre son adjoint, qui l'attendait dans l'entrée. Le médecin, spécialisé en diététique, les avait reçus après sa dernière consultation et les informations qu'ils avaient pu obtenir sans entraver le secret professionnel avaient confirmé ce qu'ils savaient déjà. Albert Charpentier, âgé de trente-cinq ans, suivait depuis trois mois une diète contrôlée dans le but de recouvrer sa santé, qui était de plus en plus précaire.

Le médecin avait expliqué que l'opération qu'avait subie son patient était encore expérimentale, mais qu'elle s'était très bien passée. Les résultats étaient des plus concluants. Un exemple de réussite. Il avait insisté sur le fait qu'avant de se faire opérer, tout patient devait avoir des raisons justifiables et celles d'Albert l'étaient. Le but ultime de cette longue et difficile démarche était de fonder une famille avec sa conjointe. En plus d'avoir des problèmes cardiaques, l'homme, qui souffrait d'obésité morbide depuis quelques années, avait des problèmes de tension artérielle et de diabète. S'il ne changeait pas de façon draconienne son comportement alimentaire, les médecins ne lui donnaient pas un an à vivre, ses artères étant très endommagées.

Le spécialiste avait conclu en précisant que l'intervention qu'avait endurée son patient ne lui permettait plus d'ingérer une grande quantité de nourriture. C'était techniquement impossible. C'était d'ailleurs le but de l'opération.

— Est-ce possible qu'il ait rechuté ? demanda Nixon à sa supérieure, alors qu'ils sortaient de l'immeuble. Je veux dire qu'il n'ait pas suivi son régime et qu'il ait tenté de manger plus qu'il ne le pouvait ?

— Le médecin est affirmatif : un patient subissant ce type d'opération ne peut plus avoir le même comportement avec la nourriture. Et tu sais quoi ? Je pense qu'Albert n'a pas cherché à tricher... Toute cette nourriture, c'est trop exagéré ! On craque pour une deuxième barre de chocolat, un autre morceau de pizza ou une énorme portion de frites avec sauce, mais pas pour une tonne de bouffe ! Ça ne cadre pas avec ce que nous venons d'apprendre ni avec les propos de l'épouse du défunt. C'est trop énorme. Sans chercher à faire un stupide jeu de mots !

— Mouais, tu as peut-être raison. À moins que quelque chose n'ait changé. Un moment difficile, une nouvelle qui l'aurait affecté, un problème quelconque. Ne trouvant pas de solution, l'homme se serait tourné vers la nourriture comme exutoire ou réconfort.

— Je comprends que tout être puisse avoir le réflexe de se gaver de crème glacée ou de dévorer une boîte de biscuits, mais pas de chercher à avaler une telle quantité, c'est impossible...

— Tu sais, on a tous nos faiblesses...

Laberge regardait son adjoint, mais ne l'écoutait pas. Elle réfléchissait et tentait d'analyser les informations qu'ils venaient d'obtenir et de les comparer avec celles relevées dans l'appartement de la victime. Non, ça ne marchait pas, elle le savait. Elle l'avait su dès qu'elle avait vu la scène de la cuisine. La mort de Charpentier n'était pas innocente.

— J'ai demandé à l'un des agents présents à l'appartement de trouver le nom du restaurant d'où provenaient les aliments et d'aller voir sur place qui avait passé la commande et comment elle avait été payée. Il ne m'est pas revenu avec ces informations. Je voudrais que tu rentres au bureau et que tu localises ce policier : je veux savoir s'il a les infos que je lui ai demandées. De mon côté, je vais essayer de joindre la femme de notre bonhomme. Elle m'a laissé le numéro de téléphone de l'amie chez qui elle loge.

Les deux policiers se séparèrent sur le trottoir. Laberge regagna sa voiture, tandis que Nixon prit la direction du métro.

Lorsque ce dernier arriva au bureau, la secrétaire lui remit un rapport. C'était celui du policier qu'il devait justement voir. Il consulta le dossier aussitôt.

Les aliments provenaient d'un établissement de cuisine rapide situé à deux rues de l'appartement des Charpentier et dont le nom glorieux était *Le Plat d'or*.

Le patron avait appris au policier que tous les mets avaient été commandés la veille par téléphone et qu'ils avaient été livrés vers dix heures le lendemain à l'adresse indiquée. Les plats avaient été payés à la livraison. Le propriétaire des lieux pensait que c'était pour une occasion, une fête ou un événement spécial. Ce n'était pas la première fois qu'on lui passait ce genre de commande. Lorsque les deux livreurs étaient arrivés à destination, la porte était déjà ouverte. Ils avaient trouvé un mot qui leur indiquait de déposer la nourriture dans l'entrée et de prendre l'argent sur une petite table. Étonnés, les livreurs avaient suivi les instructions, puis ils étaient ressortis en fermant la porte derrière eux. Fin de l'histoire.

« Tout de même étrange, ce mot dans l'entrée et l'absence de Charpentier, pensa Nixon. Il ne peut pas se cacher aussi facilement... Où était-il ? Pourquoi n'est-il pas venu ouvrir la porte et payer la facture ? Pourquoi tous ces mystères ? Et sa femme qui dit qu'il ne reçoit jamais personne. Je pense que Laberge a raison. Il y a quelque chose de pas net derrière tout ça. »

Alors qu'il lisait le rapport du policier qui contenait aussi la facture du restaurant, le téléphone sonna. C'était Jeanne Laberge qui voulait savoir s'il avait des nouvelles. Il s'empressa de lui résumer le rapport.

— Essaie de voir avec l'équipe technique si la note portant les instructions de Charpentier a été retrouvée lors de la fouille de l'appartement. L'un des livreurs l'a peut-être aussi emportée avec lui. Si nous mettons la main dessus, nous pourrons demander à madame Charpentier s'il s'agit bien de l'écriture de son mari.

* * *

— Je suis désolée de venir vous trouver ici, madame Charpentier, mais j'ai quelques questions à vous poser.

La veuve semblait épuisée. Ses yeux azur paraissaient délavés tant elle avait pleuré. Elle avait les cheveux en bataille et portait un bas de pyjama avec un pull défraîchi : l'image même de la dérive quand on perd quelqu'un et que la douleur prend tant de place qu'on en oublie sa propre personne.

Elle invita l'inspecteur à entrer. Son amie était partie travailler, elles seraient donc tranquilles pour discuter. Elle proposa un café à Jeanne, qui accepta. La femme d'Albert allumait cigarette sur cigarette. Laberge n'avait pas remarqué qu'elle fumait à leur première rencontre. Ses mains tremblaient.

— Vous allez bien, madame Charpentier ? lui demanda-t-elle.

— Appelez-moi Jocelyne, je vous en prie... Chaque fois que vous dites madame Charpentier, vous me rappelez que mon Albert vient de mourir et que je ne suis plus sa dame.

— Très bien, Jocelyne. Comment allez-vous ?

— Mal. Je vis difficilement la situation. Je prends des calmants depuis... depuis le jour de sa mort, mais c'est dur...

— Je comprends... Je ne veux pas vous peiner davantage en vous disant cela, mais votre mari était à risque. Sa mort était une éventualité s'il ne perdait pas de poids. Il souffrait de diabète et de haute pression. Vous n'ignoriez pas cette menace.

— Vous êtes allée voir son médecin, si je comprends bien ?

— Oui, effectivement, car ça fait partie de l'enquête. Jocelyne, nous cherchons à comprendre ce qui s'est passé exactement.

— Et je ne peux pas vous aider : je n'en sais rien, je ne comprends pas...

— Vous connaissez certainement le restaurant *Le Plat d'or*, situé tout près de chez vous.

— Oui, bien sûr.

— Selon le propriétaire, quelqu'un a commandé la veille du décès de votre mari toute la nourriture que nous avons trouvée chez vous. Lorsque les livreurs sont arrivés sur place, la porte de votre appartement était ouverte et un mot leur indiquait de déposer les plats dans l'entrée. L'argent se trouvait sur une petite table. Selon eux, il n'y avait personne dans l'appartement.

La femme fronça les sourcils en signe d'incompréhension. « Première réaction de sa part depuis mon arrivée », nota Laberge.

— Personne ? Mais enfin, Albert devait être là. Il ne sortait jamais. Il avait énormément de difficulté à se déplacer et il lui fallait généralement de l'aide pour se lever lorsqu'il était assis. Il y parvenait lorsque je n'étais pas là, mais ça lui demandait beaucoup d'efforts. C'est pour cette raison que je vous dis qu'il ne serait pas sorti de l'appartement, seul. J'en suis certaine.

— Vous maintenez cette affirmation ?

— Oui.

— Alors, c'est que quelqu'un l'a aidé.

Jocelyne eut un léger mouvement de recul, comme lorsque l'on est surpris. De toute évidence, elle doutait des propos de l'inspecteur ; elle connaissait si bien son mari. Qui donc serait venu le voir, comme ça, sans prévenir ? Elle fit un geste de la main, comme pour chasser une idée impossible qui venait de lui traverser l'esprit. Ce que Jeanne nota.

— J'ai du mal à croire ça…

— Jocelyne, gardiez-vous de l'argent à la maison ?

— Très peu. Nous ne disposons pas de beaucoup de liquidité. Presque tous nos sous servaient à payer le loyer et les comptes courants. Pour de petites babioles, nous avions quelques billets à la maison, mais pas une fortune, croyez-moi !

— La facture des plats commandés s'élevait à plus de quarante-sept dollars.

— Mon Dieu, mais c'est énorme ! C'est le prix d'une épicerie pour toute une semaine ! s'écria la femme, qui s'apprêtait à secouer la cendre de sa cigarette. Qui a payé pour ça ? Nous n'avions pas cette somme à mettre sur du *fast-food,* c'est stupide. Albert aurait été le premier d'accord ! C'est à peine si nous nous offrions une pizza une fois par mois ! Et ça, c'était avant qu'il commence sa diète. Depuis, nous cuisinions tous nos repas, car le poids des portions de mon mari devait être calculé.

— J'aimerais le savoir… Je voudrais vérifier avec vous si l'argent qui a servi à payer la facture du restaurant provenait de votre réserve. C'est possible ?

La femme d'Albert Charpentier secoua négativement la tête.

— Non, je ne veux pas aller à cet appartement. Pas tout de suite, je ne suis pas prête... Allez-y, vous. Je vous indiquerai où nous gardons nos sous. Je ne retourne pas là-bas... pas maintenant...

— Tout à l'heure, j'ai eu l'impression que vous pensiez à quelque chose, dit enfin Laberge.

Jocelyne fit une pause avant de répondre.

— Je pensais à Michel, le frère de mon Albert, précisa-t-elle. Vous pourriez peut-être le questionner. Il habite à Joliette depuis deux ans. Ils ne se voyaient jamais, mais il leur arrivait de s'appeler. Même si je n'y crois pas, il est possible que Michel soit venu chez nous. Vous trouverez son numéro de téléphone dans le carnet qui se trouve à la maison, car je ne crois pas qu'il se trouve dans celui que vous avez pris le soir de sa mort.

* * *

L'inspecteur Laberge ouvrit lentement la porte, comme si elle hésitait. Même si elle savait que l'appartement était vide, elle demeurait tout de même sur ses gardes. Elle huma l'air. Fort heureusement, l'endroit sentait la propreté. Plus rien des émanations de vomissements ni de déjections qui saturaient les lieux le soir où elle avait été appelée. Un peloton de nettoyage était venu après que l'équipe technique eut passé l'appartement au peigne fin.

L'inspecteur se dirigea vers le salon où se trouvait l'immense lit. En le revoyant, elle ne put s'empêcher de penser qu'Albert devait dormir seul dans le salon, en raison de sa masse. Elle trouva la situation bien triste. Jeanne ouvrit le tiroir d'un petit bureau de bois et y trouva, comme le lui avait indiqué Jocelyne, le carnet contenant les numéros de téléphone et les adresses des gens connus du couple. Elle se rendit à la lettre C. Michel Charpentier. Elle nota le numéro dans son propre calepin. Elle feuilleta les autres pages, mais très peu de noms y apparaissaient.

Jeanne ouvrit les rideaux pour que la lumière entre dans ces lieux occupés de noirceur. Elle fit la même chose dans la cuisine, et s'y arrêta. Immobile au centre de la pièce, elle regarda attentivement l'endroit, s'imprégnant des lieux. Ses yeux passaient d'un objet à l'autre, de la table au comptoir, des chaises aux armoires. L'inspecteur avait pris une habitude au fil de ses enquêtes, celle de venir seule sur les lieux d'un crime et d'être attentive à l'environnement. En prendre le pouls. Tenter de recréer en esprit ce qui avait bien pu se passer dans cet endroit. Elle sortit son carnet de notes pour y coucher ses pensées et ses observations, qu'elle plaçait en colonnes.

Elle refit le trajet entre la porte d'entrée et la cuisine, se mettant à la place des livreurs. Elle constata que, effectivement, les deux hommes n'avaient pas pu voir ce qui se passait dans la cuisine à partir de l'entrée. L'angle du mur bloquait la vue. Même si la cuisine se trouvait près de l'entrée, elle demeurait invisible de là. Ce qui voulait dire que même si Albert s'y était trouvé, ce dont elle ne doutait pas, les livreurs n'avaient pas pu le voir. Elle fit le même exercice avec le salon et son constat fut identique. Peu importe qui s'y trouvait, sa présence ne pouvait être perçue.

Laberge retourna dans la cuisine. Toujours dans ses réflexions, elle ouvrit le garde-manger : il ne contenait que les produits d'un régime équilibré. Pas de chips ni de biscuits, pas de chocolat ni d'autres cochonneries que l'on retrouve dans les armoires de bien des gens. De toute évidence, Jocelyne aidait son mari dans son régime en éloignant toutes les tentations possibles. Albert avait-il craqué devant tant d'austérité ?

Jeanne attrapa au fond du garde-manger la reconnaissable boîte en métal jaune de la moutarde *Colman's* en poudre sur laquelle se trouvait la célèbre *Royal Warrant*. Elle l'ouvrit et en sortit les économies du couple. La femme d'Albert lui avait dit que le pot devait contenir une quinzaine de dollars. L'inspecteur compta seize dollars et cinquante-trois cents. Elle remit l'argent dans le contenant et le rangea à sa place. Une chose était claire, maintenant : Albert n'avait pas pigé dans les économies domestiques. D'où provenait alors l'argent qui avait servi à payer la commande ?

— OK ! dit Jeanne à haute voix : nous avons un homme qui ne pouvait pas se déplacer seul et suivait un régime strict ; une femme amoureuse de son mari et qui travaillait ; de la nourriture payée avec des billets ne provenant pas des épargnes du couple ; et enfin, un mort… Rien de bien naturel dans le déroulement des événements. Hmm, oui… je crois que nous avons une histoire de meurtre sur les bras.

Quittant la cuisine, elle se dirigea vers une autre pièce qui servait à la fois de bureau et de rangement. Elle fouilla dans les piles de papier se trouvant sur la table de travail qui accueillait un Micral N, un mini-ordinateur qui prenait presque toute la place. Un dossier portant le nom « R2E » était ouvert. Elle y jeta un œil, mais ne comprit rien à ce qui était écrit. Non seulement Albert Charpentier écrivait mal, mais en plus les termes employés ne lui disaient absolument rien. Il s'agissait bien là d'un langage inconnu. Elle prit le dossier avec elle.

Tout en gardant l'impression qu'il s'était passé quelque chose à cette adresse, Laberge quitta l'appartement sans avoir trouvé quoi que ce soit pour orienter ses recherches.

Chapitre 4

Jeanne Laberge reposa doucement sa tasse de café noir, sans vraiment regarder ce qu'elle faisait. Elle était assise à la table de sa cuisine et feuilletait le journal. Richardson était encore au lit. Elle enviait cette facilité qu'il avait de lâcher prise lorsqu'il rentrait à la maison. David dormait toujours comme un bébé lorsqu'il posait la tête sur l'oreiller et il profitait pleinement des grasses matinées que les week-ends lui offraient.

Ils vivaient ensemble depuis cinq ans maintenant, et la vie à deux comblait Jeanne. Même si vingt ans les séparaient, David et elle s'entendaient à merveille. Ce qu'elle appréciait le plus chez son amant, c'était cette liberté qu'il lui laissait. Jamais elle ne sentait de pression de sa part, jamais il ne l'obligeait à rien. Il l'avait présentée à sa mère quelque temps après qu'ils eurent emménagé ensemble, et malgré les réticences et les remarques de madame Richardson-St-Clair à l'idée qu'ils vivent en concubinage, il n'avait jamais plié. Sa mère avait fini par accepter cette particularité, même si elle ne se gênait pas pour dire à son fils qu'elle priait Dieu, chaque dimanche, pour qu'Il leur pardonne leur offense. Elle ne se gênait pas non plus pour affirmer qu'un jour, lorsqu'ils auraient des enfants, il leur faudrait bien remédier à la situation.

Chaque fois, David embrassait sa mère, sans rien dire, un sourire narquois au bord des lèvres. Il faut dire qu'il n'était plus à l'âge où l'on plie sous le poids de l'opinion des autres. Il avait été marié et avait juré après son divorce que personne ne lui dirait plus quoi faire. Il refusait qu'on lui impose un modèle de société qui, selon lui, s'effritait. Même si Jeanne était de nature indépendante et qu'elle appréciait la liberté de son époque, elle ne détestait pas l'idée d'unir sa vie à quelqu'un pour le restant de ses jours. D'ailleurs, s'il y avait une mésentente entre eux, c'était bien à ce sujet.

Jeanne avait, elle aussi, présenté son compagnon à sa mère, qui venait de temps à autre dîner avec eux. Jamais son père n'était venu chez elle, et jamais ils ne s'étaient reparlé depuis qu'elle était devenue inspecteur. Il l'avait reniée après moult menaces, et elle en avait fait autant de son côté. Maintenant, elle faisait comme s'il n'existait pas. Sa mère avait bien tenté de régler leur différend en suppliant sa fille de téléphoner à son père, mais Jeanne avait toujours refusé. Elle affirmait que c'était à lui de faire les premiers pas et de la féliciter pour ce qu'elle était devenue. Au fil du temps, madame Laberge avait fini par accepter la situation, même si elle la rendait malheureuse. Elle n'en disait rien à sa fille, mais elle pensait en secret que si Jeanne avait des enfants, la situation changerait d'elle-même…

Il était tôt, trop tôt. Mais elle ne parvenait plus à dormir, jonglant avec les hypothèses concernant le décès de Charpentier qu'elle avait présentées à Levasseur. Après qu'elle eut prononcé le mot « meurtre », l'inspecteur-chef avait émis quelques réserves, mais Laberge était parvenue à le convaincre en lui présentant deux ou trois arguments bien choisis. Il lui avait donné une semaine pour résoudre l'affaire. Si elle n'avait rien de nouveau d'ici là, il fermerait le dossier. Il avait aussi ajouté que l'affaire de Francesca Pasquali était prioritaire et que, dans le cas de Charpentier, elle se fiait bien plus à son intuition qu'à des données fiables. Elle avait souri en rappelant à son supérieur qu'il lui disait continuellement qu'elle devait se fier à son instinct.

Avec le temps, Laberge en était venue à apprécier cet homme au caractère bourru, mais qui n'aurait pas hésité une seconde à donner sa vie pour l'un de ses hommes. Même elle. Elle faisait maintenant partie de l'équipe. Ses quelques enquêtes menées haut la main lui avaient valu une place au sein du groupe. Elle avait gagné son pari. Elle était heureuse et fière du long chemin parcouru, et Levasseur en était venu à l'apprécier. De toute façon, il n'avait pas le choix : comme elle le lui avait si bien dit, de plus en plus de femmes faisaient des demandes pour entrer dans la police.

« J'ai bien envie d'aller voir ce nouveau film, songea-t-elle. *Vol au-dessus d'un nid de coucou*, avec Nicholson... Quel drôle de titre ! Mais j'aime tellement cet acteur. Les critiques sont excellentes. Comme je le connais, David ne voudra pas m'accompagner. Je vais demander à James, il adore le cinéma... »

Elle en était à ces réflexions lorsqu'elle entendit un cri suivi d'un bruit sourd. Elle s'élança aussitôt à l'extérieur de son appartement afin de voir ce qui se passait. Au bas de l'escalier, elle découvrit Henrielle Bilodeau, sa voisine de soixante-douze ans, étendue sur le sol, évanouie, et dans une position plutôt inquiétante. Sans hésiter, l'inspecteur se précipita vers la vieille femme, évalua la situation et constata que sa voisine respirait toujours, bien qu'elle fût inconsciente. Laberge hurla à son amant qui apparaissait à la porte, réveillé par le bruit, d'appeler une ambulance. Elle prit la main de la dame, émue de la voir ainsi. Elle songea à glisser quelque chose sous sa tête pour la lui relever, mais se ravisa. Il était préférable d'attendre les ambulanciers.

* * *

— Comment va-t-elle ? demanda Jeanne en voyant le médecin de service venir vers elle.

— Vous êtes de sa famille ?

— Non, sa voisine. C'est moi qui l'ai trouvée inconsciente dans l'entrée de notre immeuble. Ses enfants ont été prévenus, ils ne devraient pas tarder. Mais vous pouvez me faire confiance et me dire ce qu'il en est, je suis inspecteur de police.

Le médecin ne sembla guère impressionné par son titre. « Voilà le genre de personne qui se croit au-dessus de tout le monde, pensa Laberge. Il empeste l'arrogance ! »

— Dans ce cas, dit-il enfin avec un brin de sarcasme dans la voix, elle ne va pas très bien. Une fracture du col du fémur, à cet âge, c'est difficile. De plus, en tombant, elle s'est frappé la tête, ce qui a causé un anévrisme intracrânien. Elle est en route vers la salle d'opération. Nous allons opérer sa hanche, mais rien n'est sûr. Très honnêtement, il faut se préparer au pire. À cet âge..., répéta-t-il. Maintenant, veuillez m'excuser, mais je dois aller me préparer pour l'intervention de madame Bilodeau.

— Oui, oui, je vous en prie... Mais, dites-moi avant de partir, qu'est-ce que je dis à ses enfants ?

— Que nous allons tenter de faire notre possible. Que voulez-vous leur dire d'autre ?

Laberge regarda le médecin s'éloigner. Elle n'aimait pas cet homme qui lui rappelait son père. Il était de ceux qui classent les gens sans leur laisser la moindre chance de faire leurs preuves et qui les regardent comme une bande de demeurés. Cet homme, elle le devinait, n'aimait pas le changement. Il fallait que les choses et les gens restent à leur place, surtout les femmes.

Elle haussa les épaules, par dépit, avant d'aller s'asseoir. Elle ne savait pas si elle devait rester à l'hôpital ou rentrer chez elle. Jeanne décida d'attendre l'arrivée des enfants d'Henrielle. Assise sur une chaise dans une salle d'attente vide, elle avait l'impression de perdre son temps.

Deux heures plus tard, les enfants de la vieille dame n'étaient toujours pas arrivés. « Mais que peuvent-ils bien faire ? » se demanda Laberge en regardant sa montre. Elle sentait que son week-end allait tomber à l'eau.

Une femme d'un certain âge s'approcha d'elle, le sourire aux lèvres, le regard avenant et les yeux d'un bleu très particulier, très pâle, presque translucide.

— Vous semblez bien triste, mademoiselle... Quelqu'un que vous aimez se trouve ici? lui demanda-t-elle.

— Oh, bonjour… Oui, une dame que je connais… Vous êtes ?

— Oh, pardonnez-moi, je suis d'une impolitesse parfois ! Agathe Montembault, bénévole dans cet hôpital. Je viens voir les patients pour les distraire un peu. Certains ne reçoivent jamais de visite, vous savez. Alors nous leur faisons la lecture des journaux, d'un livre, nous discutons avec eux, leur faisons prendre l'air… J'arrive justement d'une promenade avec une charmante dame que je viens de raccompagner à sa chambre. Elle est ici pour une infection, mais elle va très vite s'en remettre. C'est en passant, alors que je m'apprêtais à partir, que je vous ai vue. Vous sembliez si perdue dans vos pensées, que j'ai pensé vous offrir mon aide…

— Je vous remercie, c'est très généreux de votre part, mais je vais très bien. Mes pensées étaient plutôt liées à mon travail… bien que je m'inquiète également au sujet de ma voisine, ajouta Laberge pour ne pas passer pour une égoïste. La dame n'est pas de ma famille. Ses enfants devraient arriver sous peu ; je n'ai fait que l'accompagner ici. Mais je l'apprécie beaucoup…

Jeanne avait l'impression d'être prise en flagrant délit d'indifférence, comme si elle devait justifier le fait que ses pensées n'étaient pas toutes tournées vers cette malheureuse en train de subir une intervention chirurgicale et qui allait peut-être mourir. Un sentiment confus la gagna.

— C'est aimable à vous de vous soucier ainsi des autres, dit Jeanne, pour détourner un peu la conversation. Si tout le monde agissait ainsi…

— Oh, mon Dieu, je n'ai pas de mérite, vous savez, mademoiselle. Je vis seule, je n'ai pas de famille. Alors, vous savez, quelque part, ça me fait du bien à moi aussi. Je me rends utile. Et je conçois fort bien que nous n'ayons pas tous l'âme altruiste. Je comprends qu'il n'est pas donné à tous d'accorder un peu de son temps aux autres. Vous n'avez pas à vous en vouloir de penser à votre vie, vous êtes encore si jeune, dit Agathe qui avait parfaitement saisi le malaise de Laberge. Vous vous êtes occupée d'elle et vous attendez ses enfants : vous avez fait ce qui devait être fait. C'est un bon début ! La prochaine fois, vous ferez peut-être plus, qui sait ? Bon, je dois vous laisser, jeune fille. J'ai déjà assez abusé de votre temps. Passez une excellente journée ! Et ne vous attardez pas trop à penser à ce que vous devez faire pour les autres : faites-le ! Quant à votre amie, elle est entre bonnes mains. Les gens qui travaillent ici sont dévoués. Au revoir ! claironna-t-elle en s'éloignant sans laisser le temps à Jeanne de répondre quoi que ce soit.

Elle la regarda partir, ne sachant trop si elle devait rire ou s'indigner de cette rencontre.

— Eh bien, quel numéro !

Néanmoins, la bénévole avait semé un doute en elle. Était-elle trop penchée sur sa vie au point de ne pas voir celle des autres ? Elle était flic, certes, et elle faisait respecter la loi, mais se souciait-elle des sentiments et des besoins des gens qui l'entouraient et de ses proches ? Elle eut une pensée pour sa mère, qu'elle n'avait pas vue depuis des semaines, et pour ses amis, qu'elle négligeait au profit de son métier. En réalité, son quotidien ne lui faisait faire que des allers-retours entre son bureau et son appartement. Et Richardson, lui accordait-elle assez de temps ? Était-il heureux à ses côtés ? La brève discussion avec la femme la laissait ambivalente par rapport à elle-même. Quelques mots avaient suffi à ébranler l'idée qu'elle avait de ses propres agissements.

Les portes venaient à peine de se refermer sur la bénévole qu'elles s'ouvrirent pour laisser entrer les deux filles et le fils de sa voisine. Ils semblaient paniqués.

Lorsqu'ils virent Jeanne, ils se dirigèrent tout droit vers elle.

— Oh, merci, Jeanne ! Sans vous, je n'ose imaginer combien de temps elle serait restée évanouie, comme ça, dans l'entrée, dit l'aînée en serrant dans ses mains celles de l'inspecteur.

L'inspecteur ne connaissait pas beaucoup les enfants de madame Bilodeau, mais elle les croisait de temps à autre, quand ils venaient lui rendre visite. Ils savaient que leur mère pouvait compter sur elle plutôt sympathique et serviable, et qu'en plus elle était de la police. La voisine parfaite !

« Pourquoi est-ce que je doute soudain de moi-même à cause de cette bénévole ? songea-t-elle. Qu'est-ce qu'elle connaît de moi ? Rien. Alors ? »

Elle les informa de la situation de leur mère. Elle avait bien peu de renseignements à leur donner, malgré toutes les questions qu'ils lui posaient. Plusieurs fois, elle répéta ce qui s'était passé, comme si c'était le seul moyen de leur faire comprendre l'état dans lequel se trouvait leur mère. Tout le monde sait que les chutes peuvent être fatales pour les personnes âgées.

— Je dois rentrer, finit par dire Laberge. Mais j'aimerais que vous me donniez des nouvelles aussitôt que vous en avez. Voici ma carte. Vous pouvez me joindre à ce numéro. Je note au verso mon numéro à la maison.

— Oh, mais je l'ai, s'écria la plus vieille en tapotant son sac à main.

La cadette des Bilodeau mit sa main sur l'avant-bras de Laberge avant de lui dire :

— Merci, Jeanne, de veiller ainsi sur notre maman. C'est un grand soulagement de vous savoir voisines.

L'inspecteur sortit de l'hôpital, songeuse.

Toute la journée, elle traîna un sentiment partagé. Celui que l'on ressent dans ces moments où l'on se demande si on a bien agi et que le doute nous envahit. Pourtant, Laberge avait fait son devoir.

« Pfff, cette bénévole m'a vraiment eue... »

* * *

Nixon et Laberge étaient assis l'un en face de l'autre. La porte du bureau de l'inspecteur était fermée. Ils tentaient d'établir un point de départ pour diriger l'enquête sur le décès d'Albert Charpentier. Ils épluchèrent une nouvelle fois le rapport d'autopsie, ainsi que le dossier des analyses des lieux effectuées par l'équipe de techniciens en scènes de crime. À part les empreintes de Jocelyne, d'Albert Charpentier et des deux livreurs, il n'y avait rien d'autre. La veuve avait bien dit à Laberge qu'ils ne recevaient jamais de visite.

— Nous devons rencontrer les gens avec qui Charpentier travaillait. Peut-être y a-t-il là une piste ? Je ne m'y connais pas du tout dans le domaine du jeu et de l'informatique, mais je suppose qu'il doit y avoir, là aussi, des envieux. Et certainement de l'espionnage industriel. De ce que j'ai compris, c'est un domaine en plein essor… Nous devons également prendre contact avec le frère de la victime qui…

La sonnerie du téléphone stoppa net Laberge. Elle invita son collègue à prendre l'appel d'un geste de la main. Nixon attrapa le combiné et écouta attentivement.

— Très bien, nous arrivons.

Il raccrocha.

— Le corps d'une femme vient d'être découvert.

* * *

Une femme de race blanche, âgée de vingt-sept ans, venait d'être trouvée morte derrière un bar, dans une ruelle perpendiculaire à la rue Masson, entre les rues Chabot et de Bordeaux. Elle était assise, adossée contre le mur, à côté d'une benne à ordures. Deux aiguilles enfoncées dans son bras gauche se croisaient.

Un cordon de sécurité interdisait l'accès aux curieux qui, depuis l'arrivée de la police, s'amassaient à l'entrée de la ruelle. L'endroit était dégueulasse, sale et puant. Laberge plissa le nez en arrivant sur les lieux.

« Tu parles d'un endroit pour finir ses jours ! C'est horrible… », songea-t-elle.

Elle jeta un coup d'œil sur la scène qui s'offrait à elle. La victime avait des cheveux blonds, longs et frisés. Elle était vêtue d'un jean moulant, d'un blouson et de talons hauts. Elle portait des bijoux, du toc ; un tatouage représentant une rose apparaissait sous sa manche relevée. Elle semblait endormie.

— Elle est jolie... Qui l'a découverte ? demanda Laberge en se penchant sur le corps pour bien l'observer.

— Le gars là-bas. Il venait d'arriver au boulot. Il fait le ménage dans le bar, dit le policier en désignant une porte en acier sur laquelle était écrit à la peinture *Le Shed*. C'est fermé à cette heure. Il sortait les ordures lorsqu'il l'a vue. Au départ, il pensait qu'elle s'injectait sa *came*. Mais il a réalisé en voyant ses yeux qu'elle était morte. Il nous a appelés aussitôt.

Laberge examinait minutieusement la victime.

« Quels chemins mènent à une telle vie de perdition ? se demanda-t-elle. Pourquoi certaines personnes ne trouvent-elles jamais leur place dans leur propre vie, comme si elles portaient un vêtement trop ajusté, rendant tout mouvement inconfortable... Décidément, je me pose beaucoup de questions depuis quelque temps... Est-ce la mi-trentaine qui me travaille ainsi ? »

— Sait-on qui elle est ? Avait-elle un sac à main, des pièces d'identité ?

— Nous avons trouvé ça dans la poche de son jean : c'est son permis de conduire. Elle se nomme Manon Cloutier, elle a vingt-sept ans et demeure à quelques rues d'ici, boulevard Saint-Joseph. Sans profession. Elle vit du bien-être social. J'ai téléphoné au poste pour faire une vérification et la dame est bien connue des policiers. Selon les registres, elle a déjà été arrêtée pour consommation et trafic léger de stupéfiants. Elle a fait un passage à l'hôpital, il y a cinq mois, pour surdose. Elle a été condamnée à trois mois de prison avec ordre de la cour de suivre une cure de désintox. Elle était sous probation depuis et devait se rapporter au poste toutes les semaines.

— Eh bien, je peux dire sans me tromper qu'il y a eu bris de probation... Bon, je veux une confirmation de son identité et une autopsie, dit-elle à Nixon. Même si la cause du décès semble assez évidente, je veux un rapport, peut-être y a-t-il autre chose à découvrir... Deux seringues, dit-elle en examinant avec plus d'attention le bras de la femme. Je n'ai jamais vu ça. Et vous ? demanda-t-elle aux patrouilleurs qui se trouvaient là.

Tous firent non de la tête. C'était la première fois qu'ils voyaient un drogué avec deux doses dans le bras.

— Je ne comprends pas pourquoi elle s'est piquée deux fois. Elle avait juste à augmenter la dose, lança l'un des policiers qui se trouvait près de l'inspecteur.

— Hmm... c'est bien ça la question : pourquoi ? Deux doses, deux seringues, un bras... OK, messieurs, fit Laberge en se relevant, vous me passez cette ruelle au peigne fin, parce que j'ai comme l'impression que notre mademoiselle Cloutier n'était pas seule ici... Et l'idée va vous plaire, j'en suis certaine : je veux que cette *benne* soit également fouillée... Un volontaire ? demanda-t-elle, un sourire en coin.

* * *

Pour la énième fois, l'inspecteur passait en revue les photos d'Albert Charpentier. Elle les examinait avec attention, étudiant chaque détail, chaque élément de la scène, à la recherche de ce petit quelque chose qu'elle n'aurait pas vu lorsqu'elle se trouvait sur place. L'homme de trente-cinq ans était assis sur une chaise, mais tout le haut de son corps était étalé sur la table, dans la nourriture, comme s'il y était tombé face première. Il y avait des vomissures sur la nappe et sur le côté de son visage. Il portait une camisole et un pantalon de survêtement. À son poignet gauche, il avait une montre. C'était tout ce qu'elle pouvait observer de la victime. On ne voyait pas son visage qui reposait dans un plat de frites-sauce et un restant de club-sandwich.

Un détail capta son attention. À la droite de la tête d'Albert, on aurait dit qu'une petite surface avait été dégagée, comme si on avait écarté la nourriture qui couvrait le reste de la table. Un espace d'à peine une vingtaine de centimètres de diamètre était mis en évidence, formant un rond presque parfait et dans lequel se trouvaient deux frites. Était-ce intentionnel ?

Jeanne avait la nette impression que l'homme avait été tué et que cette mise en scène cachait un message.

En examinant les autres photographies, elle constata que l'on pouvait observer ce « cercle » sur plusieurs autres clichés. Elle le voyait maintenant nettement, alors que quelques instants plus tôt, il se fondait dans la nourriture qui couvrait la table.

* * *

Laberge était accompagnée de son adjoint et d'un agent de police lorsqu'ils pénétrèrent dans le petit deux-pièces de Manon Cloutier. Situé dans le sous-sol très mal éclairé d'un bâtiment à logements du boulevard Saint-Joseph, le logis était mal entretenu.

L'endroit sentait le renfermé et le tabac, et ne comprenait presque rien. À côté d'un canapé-lit ouvert et garni d'une literie dépareillée, il y avait un tabouret sur lequel se trouvait un pot de vaseline et de l'huile. Un peu plus loin se tenait une petite table ronde sur laquelle reposait un cendrier plein à ras bord qui attendait patiemment d'être vidé, deux napperons sales, une cuiller dans laquelle un cerne séché laissait présumer de son utilisation et une tasse avec un fond de café. Deux chaises et une vieille commode dont les trois tiroirs étaient entrouverts complétaient le décor. Sur le lit défait, un ourson en peluche, qui semblait avoir de l'âge, était assis, le corps tourné vers la porte d'entrée, comme si la propriétaire l'avait placé là pour se sentir accueillie lorsqu'elle entrait.

Le policier se dirigea vers le fond de l'appartement. Il y trouva une porte fermée de l'intérieur et munie d'une chaîne qui s'ouvrait sur un minuscule couloir et des marches en bois. « Un endroit parfait pour un incendie », songea-t-il en refermant la porte. De son côté, Laberge inspectait les lieux du regard, sans bouger, se contentant d'observer le logement, de s'en imprégner, de comprendre comment vivait la locataire. Nixon vint la trouver avec quelques photographies.

— La victime avait des parents. Regarde, elle ne semble pas malheureuse sur ces photos...

— Il ne faut pas se fier à quelques clichés, tu devrais le savoir. Une photo ne capte qu'un moment, pas une vie et encore moins les secrets que l'on cherche à taire. Ceux-là ne s'impriment jamais sur la pellicule.

Jeanne prit les trois épreuves trouvées par Nixon afin de les examiner. Au verso de celle qu'il venait de lui montrer, on pouvait lire : *Papa et maman, à Sorel, 1958.*

— Il faut faire une recherche pour savoir si les parents sont toujours vivants. Si oui, il faudra leur annoncer le décès de leur fille. Il faudra aussi les rencontrer ; on ne sait jamais ce qu'ils pourraient nous apprendre.

— Très bien, je m'en occupe, répondit Nixon.

— Elle a peut-être un carnet de téléphone quelque part…

Au même moment, l'adjoint brandit un petit calepin marron.

— Je l'ai ! Il était avec les clichés, mais il ne contient pas grand-chose. Surtout le nom des restos du coin.

— On l'épluchera au poste, dit Laberge en se dirigeant vers la cuisine exiguë.

Elle ouvrit les trois armoires qui s'y trouvaient et découvrit qu'elles étaient presque vides. Les seuls articles qu'elles contenaient étaient trois bols et six boîtes de céréales de saveurs différentes. Elle ouvrit le petit réfrigérateur où ne se trouvaient que du lait, de la bière et une bouteille de vodka. Elle prit le carton de lait et regarda la date de péremption.

— Faut croire qu'elle ne se nourrissait que de céréales, dit-elle sans s'adresser à personne. J'espère qu'elle avait prévu acheter du lait en rentrant, car celui-ci n'est plus bon depuis au moins une semaine.

— Une vraie petite reine du foyer ! s'exclama Nixon avec humour, ce qui fit rire l'autre policier qui se trouvait dans la salle de bains.

— J'ai comme l'impression que cet endroit n'est qu'un pied-à-terre, suggéra Laberge. Elle ne vivait pas ici. Il n'y a rien de personnel : pas de cadres, de mots sur le réfrigérateur, de lettres, de factures, de linge sale… rien !

Le policier qui se trouvait dans la salle de bains en sortit en opinant de la tête.

— Oui, comme vous dites ! Il n'y a rien non plus dans les toilettes, à part une petite trousse à maquillage, une brosse à dents, du dentifrice et deux boîtes de condoms. Pas de médicaments dans la pharmacie, à part un tube d'aspirine, ni même de tampons ou de serviettes hygiéniques. Rien !

— Et la commode ne contient qu'une paire de jeans. Les autres tiroirs sont vides. Nous avons au moins ce petit carnet et quelques photos, lança Nixon.

— Oui, mais c'est bien mince tout ça… Nous pataugeons, nous pataugeons, et je n'aime pas ça ! Dis-moi, Nixon, nous avons deux cadavres sur les bras et tout porte à croire qu'ils ont été assassinés. En plus, nous n'avons rien de concret ni sur l'un ni sur l'autre pour orienter notre enquête. Tu n'as pas l'impression que nous jouons de malchance ?

— Oui, j'y pensais justement. Deux enquêtes et pas une seule piste à suivre…

— C'est Levasseur qui va être content ! marmonna Laberge en regardant l'ourson en peluche sur le lit.

L'inspecteur balaya la pièce du regard avant de conclure :

— Bon, que l'équipe technique fouille cet appartement. Peut-être aura-t-elle plus de veine que nous ! De notre côté, allons trouver le propriétaire : il aura peut-être quelques ragots à nous raconter sur les allées et venues de sa locataire. Je veux qu'on épluche son passé, sa vie, ses amis, ses amants. Je veux tout connaître d'elle.

* * *

Le rapport d'autopsie de Manon Cloutier n'apprit rien à Laberge dont elle ne se doutait déjà. La jeune femme était morte d'une surdose d'héroïne. Cependant, il y avait un élément nouveau qu'elle n'avait pas pu voir en examinant la victime sur les lieux : celle-ci était enceinte de cinq semaines. Aussi, en plus de la drogue, la victime avait un taux d'alcool très élevé dans le sang.

« Savait-elle qu'elle était enceinte ? se demanda Laberge en refermant le rapport. J'espère que non... Quel gâchis ç'aurait été ! »

Les quelques informations obtenues du propriétaire de l'immeuble à logements où résidait la camée ne lui étaient pas d'une grande utilité. L'homme ne vivait pas sur place et ne connaissait pas ses locataires. Quant aux voisins, ils s'entendaient pour dire qu'il y avait bien du va-et-vient dans le logement et qu'ils se doutaient que des choses pas très nettes s'y passaient, mais jamais ils n'avaient eu à se plaindre du bruit ou de quoi que ce soit d'autre. Seul le locataire du rez-de-chaussée affirma à l'inspecteur qu'il entendait souvent de la musique et des bruits incongrus, la nuit, sans toutefois préciser sa pensée.

L'enquête informa Laberge que le bail était bien au nom de Manon Cloutier et que cette dernière recevait mensuellement un chèque du bien-être social à cette adresse. Vu le piètre état du logement et le manque d'installation, il était évident que la jeune femme ne vivait pas là en permanence. C'était un lieu de rendez-vous. Il ne fallait pas être devin pour comprendre que la victime devait avoir une deuxième adresse. L'appartement du boulevard Saint-Joseph était certainement celui où elle recevait des clients pour arrondir ses fins de mois. Il existait assurément un autre lieu où Manon Cloutier vivait en permanence.

— Très bien, reste à trouver cette autre adresse !

Laberge plaça le dossier devant elle, à côté de celui d'Albert Charpentier. Elle avait trois affaires à résoudre, si elle tenait compte de celle de la jeune Francesca Pasquali, qui avait été renversée par une voiture et qui était dans le coma. Mais elle n'avait aucune piste pour le moment. Rien. Pas le moindre soupçon.

Il ne lui restait que quatre jours avant que l'affaire Charpentier soit classée. Levasseur ne lui laisserait pas un après-midi de plus, à moins qu'elle n'ait quelque chose de solide à lui donner. Pourtant, elle était persuadée que l'homme n'avait pas commandé toute cette nourriture dans le but de s'empiffrer jusqu'à en mourir. C'était impossible et illogique. Alors, quelle était la raison de cette mise en scène ? Avait-on cherché à faire passer la mort de cet homme pour un suicide en espérant que l'affaire serait classée sans enquête ? Si le policier qui l'avait appelée n'avait pas trouvé la scène étrange, jamais cette mort n'aurait fait l'objet d'un examen approfondi. Mais pour quelle raison l'avait-on tué ?

Si elle trouvait la raison de cette mort, elle trouverait le reste. L'homme vivait seul avec sa conjointe et il ne voyait presque jamais personne. Il travaillait depuis des semaines sur un projet informatique. C'est tout ce qu'elle avait pour le moment. La piste du jeu était-elle à suivre ?

— Non, dit-elle à voix haute, ce n'est pas ça ! J'imagine mal un programmeur décider de tuer un homme pour lui voler son projet en le forçant à manger un club-sandwich. Ça ne tient pas la route. À moins, bien entendu, que cette personne ne soit totalement cinglée. Non, la réponse doit avoir un lien avec la nourriture... Mais lequel ? Charpentier suivait un régime strict. Il n'avait pas d'argent. Espérons que nous en apprendrons un peu plus avec son frère.

L'inspecteur tambourinait des doigts la couverture du dossier Charpentier tout en tournant et en retournant les questions dans sa tête.

— Et Manon, pour quelle raison l'a-t-on éliminée ? Devait-elle disparaître ? Peut-être devenait-elle encombrante ? Pour qui ? On doit chercher dans cette direction. Et pourquoi deux seringues ? Je ne comprends pas. Si un trafiquant a voulu se débarrasser d'elle, pourquoi n'a-t-il pas fait passer sa mort pour un simple accident, avec une seule seringue ? Une surdose d'héroïne, comme ça arrive souvent chez les *junkies*. Qu'est-ce qui pourrait bien expliquer la présence de la deuxième seringue ? Un avertissement destiné à une bande rivale ? Oui, peut-être bien...

Jeanne jouait nerveusement avec son crayon, ouvrant et refermant le capuchon. Rien ne venait. Elle ne discernait pas l'élément auquel elle pouvait s'accrocher, le petit détail qui révélerait le début de l'histoire. La petite pierre blanche qui indiquerait le chemin à suivre. Elle poussa un profond soupir avant de se décider à partir ; elle voulait passer à l'hôpital prendre des nouvelles de sa voisine. Comme il pleuvait à boire debout depuis le matin, elle enfila son imperméable, retoucha son maquillage et sortit en saluant Nixon et les autres. Son adjoint la regarda partir, sans rien dire. Une douce odeur musquée demeura dans l'air après son départ.

Chapitre 5

— Bonsoir Henrielle, c'est Jeanne. Comment allez-vous, aujourd'hui ?

La vieille dame avait subi son opération pour sa fracture à la hanche. La chirurgie avait eu lieu quelques jours plus tôt, et Laberge avait appris par le médecin qui soignait sa voisine que l'intervention s'était bien déroulée. Il ignorait cependant comment Henrielle Bilodeau passerait les prochaines semaines. Il arrivait très souvent que les personnes âgées décèdent quelque temps après une chirurgie, souvent à cause des plaies de lit. « Rien n'est encore joué, lui avait-il dit, il faut attendre. »

La voisine ouvrit lentement les yeux.

— Oh ! comme c'est gentil de venir me voir, Jeanne ! Vous allez bien ?

— C'est à vous qu'il faut demander ça, lui répondit en souriant l'inspecteur, qui déposa les fleurs qu'elle avait apportées.

— Elles sont très belles, lui dit sa voisine en admirant le gros bouquet de marguerites, et je vais très bien !

Un peu fatiguée, mais je pense que c'est normal après une opération...

— Effectivement, ce n'est pas rien...

— Oh, mais vous avez le regard soucieux, vous ! Une enquête difficile ?

— Oui, le boulot, comme toujours... Je me demande bien pourquoi je n'ouvre pas une boutique de fleurs. Ma vie serait tellement plus simple ! dit Jeanne en souriant. Les fleurs, c'est pas compliqué, et puis ça sent bon ! J'aurais en permanence un bouquet sur ma table, plaisanta Laberge.

— Vous vous ennuieriez, rétorqua Henrielle en posant sa main fine sur l'avant-bras de Jeanne, un geste rempli de tendresse que l'inspecteur apprécia. Vous n'êtes pas le genre de femme à vous satisfaire d'une vie faite de simplicité et de quelques marguerites, malgré le côté invitant que ce style de vie peut suggérer. Et puis, entre nous, les fleurs ça meurt, et quand ça fane, ça pue ! ajouta-t-elle avec un sourire tout à fait charmant.

Laberge avait toujours apprécié l'humour noir de sa voisine, quelque chose de charmant s'en dégageait. Henrielle n'était pas ordinaire.

— Oui, vous avez entièrement raison... Mais si vous saviez comme parfois ça me pèse de ne pas être ce genre de femme, justement.

— Alors, allez-y !

Laberge la regarda, surprise.

— Abandonnez votre carrière et ouvrez une jolie boutique, s'écria la femme en scrutant avec attention les réactions de l'inspecteur, qui demeurait muette. Vous voyez, vous ne saisissez même pas l'idée au vol. Vous restez figée comme une biche devant les phares d'une voiture ! Vous savez pourquoi ? Parce que vous ne ressentez pas réellement cet appel : la boutique de fleurs n'est qu'un exutoire auquel vous pensez lorsque vous êtes dans une impasse ou que ça va mal, et c'est normal. On en a tous. Moi, lorsque j'étais mariée avec mon Anatole, paix à son âme, eh bien, quand il me tombait sur les nerfs – et ça se produisait régulièrement, croyez-moi, parce qu'il n'avait pas un caractère facile –, je me disais alors que j'aurais dû choisir Armand qui me courtisait en même temps que mon mari. Ça me faisait du bien d'imaginer ce qu'aurait été ma vie avec lui. Mais même si Armand s'était présenté à ma porte, je l'aurais laissé dehors !

Les sourcils en accent circonflexe, Laberge regardait d'un air ravi sa voisine qui, malgré sa récente intervention, semblait tout à fait remise. Sa bonne humeur la rassura : Henrielle était en pleine possession de ses moyens.

— Allons, laissons ces bêtises de côté, voulez-vous ? Vous êtes inspecteur et vous êtes faite pour ce métier. Pas celui de fleuriste ! Gardez ces rêves uniquement comme échappatoire et tout ira pour le mieux ! Non ?

— Oui, vous avez peut-être raison…

— Vous en doutez ? Que se passe-t-il, Jeanne ? Dites-moi.

Laberge hésitait à répondre à la vieille dame.

— Rien, rien, je m'interroge, c'est tout…

Voyant que l'inspecteur ne lui en dirait pas plus, Henrielle Bilodeau décida de changer de sujet. Si Jeanne souhaitait s'ouvrir à elle, elle le ferait en temps et lieu.

— Ah ! Je voulais vous remercier d'avoir pris soin de moi comme vous l'avez fait. Sans vous, Dieu seul sait ce qui ce serait passé !

La main de la vieille femme s'empara de celle de l'inspecteur et la serra doucement.

— Mais c'est tout naturel, répondit Laberge, en posant sa propre main sur celle de la dame. Vous en auriez fait autant, ajouta Jeanne. Entre voisines, c'est bien normal. Vos enfants sont venus vous voir ?

— Ils viennent tous les jours. Ils sont gentils, mais un peu pénibles ! Ils me prennent pour une infirme. Ils me parlent lentement, comme si j'avais le cerveau atteint. Le pire, c'est qu'ils songent à me placer en maison de retraite. Moi ! Je ne veux pas déménager. Il est hors de question qu'on m'enferme dans un parking à vieillards ! Je reste chez moi, que ça leur plaise ou non ! Je me suis fracturé la hanche, ça ne veut pas dire que je ne suis plus bonne à rien ! J'ai encore trop à faire pour aller attendre la mort dans une de ces antichambres.

— Ils ne pensent qu'à votre bien-être, vous savez. C'est un bonheur de voir ses enfants s'occuper ainsi de leur mère. Si vous voyiez ce que je vois, c'est parfois si désolant !

— Oui, je sais, vous avez certainement raison. Mais si vous saviez comme j'ai hâte de rentrer chez moi ! Mon médecin me dit que je vais devoir me montrer patiente, mais que, somme toute, mon rétablissement se présente plutôt bien.

— Et il a raison. La convalescence est longue pour ce genre de fracture. Profitez-en pour vous faire gâter et reposez-vous... Pour le reste, vous verrez en temps et lieu.

— Oui, c'est exactement ce que les infirmières me disent. Mais ça me pèse d'être ici, moi qui ai toujours détesté les hôpitaux et la maladie. J'ai besoin de prendre l'air, de marcher tous les jours.

Laberge connaissait les habitudes de sa voisine. Qu'il pleuve, qu'il neige ou que ce soit la canicule, Henrielle marchait au moins cinq kilomètres par jour. Un exemple qu'elle-même devrait suivre. Jeanne n'était pas très… sportive. La dame fuyait les symptômes de la vieillesse comme d'autres la maladie.

— Vous savez, Henrielle, je ne crois pas qu'il y ait beaucoup de gens qui aiment être malades.

Madame Bilodeau opina de la tête comme une petite fille, tandis qu'un silence s'installait entre les deux femmes.

— Je dois vous quitter, chère voisine, j'ai du boulot ! Je passais en coup de vent vous saluer et prendre de vos nouvelles. Mais ce que je vois me réjouit, vous êtes en pleine forme. Je reviendrai demain, si vous le voulez bien…

— Et comment ! Discuter avec vous est toujours un régal !

— Avez-vous besoin de quelque chose ? Des magazines, un livre ?

— Non merci, j'ai la télé, dit Henrielle en désignant le téléviseur suspendu au plafond. Mais j'aimerais bien avoir du chocolat, dit-elle avec un sourire coquin aux lèvres.

— Très bien. Je vous en apporterai.

— Vous savez, celui avec des cerises dedans… Mais n'en dites rien à mes enfants ! Ils veulent tellement me garder auprès d'eux... C'est bien gentil, mais c'est un peu ennuyeux aussi. Je ne peux plus rien manger!

Laberge lui répondit par un sourire avant de quitter les lieux.

* * *

Le lendemain matin, très tôt, Jeanne se tenait sur le pas de la porte ouverte, deux boîtes de chocolats aux cerises dans les mains. Elle regardait la scène qui se jouait devant elle, tétanisée. Une équipe de réanimation venait de s'acharner sur Henrielle Bilodeau. Sa voisine avait fait un arrêt cardiaque. Elle entendit le médecin de garde dire à l'équipe que c'était terminé, qu'il n'y avait plus rien à faire.

Une infirmière commença à remballer l'équipement pendant que le docteur regardait sa montre afin d'inscrire l'heure du décès de la vieille dame.

Une seconde infirmière que l'enquêtrice n'avait pas remarquée vint à sa rencontre, la priant de sortir d'un geste de la main.

— Vous ne devriez pas être là. Les visites ne commencent qu'à dix heures.

— Oui, je sais.

Voyant que Jeanne ne lui donnait aucune explication sur les raisons de sa présence si matinale, l'infirmière reprit.

— J'imagine que vous avez une permission, lui dit-elle, mais vous devez demeurer à l'extérieur de la chambre. Le médecin va bientôt sortir. Vous êtes de sa famille, une de ses filles, je suppose. Je suis sincèrement désolée que vous ayez assisté à ça...

— Non, je ne suis pas sa fille, mais sa voisine, dit Jeanne, affligée.

Au même moment, le médecin sortit de la chambre. Ce n'était pas le même que celui qu'elle avait vu la première fois et qui l'avait regardée de haut.

Bonjour, docteur, dit-elle en tenant toujours ses chocolats.

Ce modeste présent avait soudain perdu sa signification et devenait presque déplacé vu les circonstances.

— Bonjour, mademoiselle... ?

— Je suis Jeanne Laberge, la voisine de madame Bilodeau.

— Ah, c'est vous, Jeanne ! Elle me parlait de vous le soir, lorsque je faisais ma ronde de garde. Elle disait que vous lui aviez sauvé la vie et qu'elle vous appréciait beaucoup.

— C'est un peu présomptueux de dire que je lui ai sauvé la vie. Je n'ai fait qu'appeler l'ambulance. Dites-moi, docteur...

— ... Ghanem Benaissa. Je suis le médecin de garde.

— Docteur Benaissa, de quoi est-elle morte ? Je l'ai vue hier et elle était en pleine forme. Elle souriait et avait hâte de rentrer chez elle. Je ne comprends pas...

— Infarctus du myocarde. C'est malheureusement fréquent chez les personnes de son âge ayant subi une fracture de la hanche. Nous ne savons jamais quelle tournure vont prendre les choses quand une personne âgée tombe et se fracture un membre. Et vous savez certainement que les crises cardiaques arrivent souvent sans prévenir. Vous l'avez vue hier et elle était en forme. Je vous confirme que je l'ai rencontrée lorsque j'ai fait mon tour de garde cette nuit, et elle semblait parfaitement bien. Et pourtant... Je suis désolé, madame Laberge, mais nous ne contrôlons malheureusement pas tout, bien que nous fassions tout notre possible pour que des incidents de la sorte n'arrivent pas. Nous ne sommes que des médecins, nous ne contrôlons pas tout. La vie a ses règles. Mais je dois vous laisser, conclut-il en lui tendant une main à la poigne ferme et franche ; il faut que je prévienne ses enfants et que j'écrive mon rapport.

— Je vous remercie, docteur. Dites-moi, puis-je la voir ?

Le médecin hésita. Après tout, Jeanne n'était pas de la famille de la dame, mais il jugea que l'inspecteur semblait digne de confiance. Il lui fit un signe d'assentiment de la tête et s'en alla.

Jeanne prit une profonde inspiration en poussant la porte de la chambre d'Henrielle. Sa voisine semblait dormir. Rien, en la regardant, ne laissait croire qu'elle était morte. Jeanne s'approcha du lit, déposa les chocolats sur la table de chevet et prit délicatement la main de la vieille dame.

— Henrielle, je vous ai apporté des chocolats aux cerises, mais vous n'y goûterez pas. Ça me peine tant, dit Jeanne en essuyant une larme qui roulait sur sa joue. Je suis navrée de vous voir partir si vite. Je vous appréciais beaucoup. Le 1471 de la rue Bernard sera bien triste sans vous... mes jours aussi. Nos échanges me manqueront. Votre joie de vivre était le mode d'emploi de mes jours de tristesse, vous apportiez cette fraîcheur qui venait assainir les relents de mon métier... Au revoir, chère voisine.

Jeanne pleurait, la main d'Henrielle appuyée contre sa joue. Elle se tut pendant un long moment. Elle semblait plongée dans une prière silencieuse, qu'elle adressait à son amie.

Depuis son emménagement dans le quartier Outremont, la dame avait toujours été prévenante envers elle, ramassant le courrier, arrosant les plantes quand Richardson et elle étaient absents. Elle se montrait charmante sans devenir accaparante. La voisine parfaite. Jeanne et Henrielle avaient soupé ensemble quelques fois, surtout quand elle avait préparé un gueuleton et que son amoureux l'appelait à la dernière minute pour lui dire qu'il était sur une affaire et qu'il ne prévoyait pas rentrer tout de suite. Ces fois-là, Jeanne allait sonner chez sa voisine pour lui proposer de partager son repas. Henrielle ne refusait jamais. Bien qu'elle fût très occupée de son côté, elle appréciait ces moments en compagnie de l'inspecteur. Ce que Jeanne aimait le plus de ces soirées, c'était quand la vieille dame lui parlait de ses voyages – elle était allée partout –, et de sa passion pour les gens qu'elle croisait. Ils semblaient lui fournir une énergie unique. Elle aimait. Et cet enthousiasme pour la vie venait contrebalancer toutes ces horreurs que l'inspecteur voyait dans son travail.

Jeanne repensait à ces moments qu'elles avaient passés ensemble quand, tout à coup, elle remarqua quelque chose d'inusité. À l'intérieur du coude gauche de madame Bilodeau était dessinée une petite croix. Ou plutôt un X. Laberge fronça les sourcils. Elle n'avait encore jamais remarqué que la dame portait un tatouage. Ce n'était pourtant pas son genre. Elle se pencha pour mieux examiner le motif et s'aperçut qu'il ne s'agissait pas d'un dessin imprimé dans la peau, mais plutôt de traits réalisés au feutre bleu. C'était étrange. Était-ce Henrielle qui s'était dessiné ça ? Jeanne n'en saisissait pas la signification.

D'ailleurs, devait-elle s'arrêter à ce détail ? Le flic en elle cherchait à comprendre. « Tu vois des intrigues partout ! » Elle chassa ces pensées de son esprit. Au même moment, la porte s'ouvrit sur l'une des infirmières de garde, qui parut surprise de découvrir quelqu'un dans la chambre.

— Oh, excusez-moi, je pensais qu'il n'y avait personne, dit-elle en s'approchant du lit pour prendre un crayon sur la desserte servant aux repas.

Laberge eut tout juste le temps de voir qu'il était bleu avant que l'infirmière le glisse dans la poche de sa blouse.

— Que faites-vous ici, vous êtes de la famille ?

— Non. Je suis l'inspecteur Jeanne Laberge, la voisine de madame Bilodeau. Je venais lui faire mes adieux, dit-elle en se levant et en tendant une main à la femme.

— Oh !... la police ?

— À vrai dire, je ne suis pas en service. Je suis venue à titre de visiteuse.

— Oh, d'accord ! Dans ce cas, je suis navrée de vous apprendre que vous n'avez pas le droit d'être ici.

— Le médecin m'a autorisée à la voir une dernière fois...

— C'est bien triste que madame Bilodeau n'ait pas survécu. Nous pensions qu'elle serait rapidement sur pied, mais voilà... Oui, bien triste. Une gentille dame, tellement enjouée et pas difficile, contrairement à d'autres...

Laberge porta son regard sur le petit badge de la femme pour y lire son nom : Monique.

— Dites-moi, madame...

— Je suis garde Monique Lagacé et je travaille la nuit, en nurserie... je m'occupe principalement des prématurés.

— En nurserie ?! Mais que faites-vous ici ?

— Il y a eu beaucoup d'urgences la nuit dernière et certains services étaient débordés. La folie ! Parfois, on dirait que tous les accidents arrivent en même temps. Certains prétendent qu'il y a un lien avec la pleine lune, mais bon, ça reste à voir. N'ayant rien de spécial à la pouponnière – on n'a aucun prématuré en ce moment –, je suis venue aider le docteur Benaissa que je connais bien. Nous travaillons ensemble depuis l'ouverture de l'hôpital. Nous nous donnons de petits coups de main quand c'est possible.

— Et ça arrive souvent que vous quittiez votre poste pour aller aider des confrères ?

L'infirmière ne répondit pas tout de suite. Elle regarda la visiteuse et tenta de comprendre pourquoi elle lui posait toutes ces questions.

— Eh bien, si un service est débordé et qu'un autre n'est pas occupé, il peut arriver que le chef de service demande à une infirmière d'aller donner un coup de main à ses collègues aux prises avec des urgences. Ça arrive, oui. Souvent ? Non ! Et puis, nous sommes toujours deux en pédiatrie, la nuit. Si une urgence survient, nous pouvons appeler notre collègue. Pourquoi cet interrogatoire ?

— Excusez-moi, ce doit être une déformation professionnelle. Je pose toujours trop de questions ! J'imagine que vous avez, vous aussi, des réactions liées à votre métier quand quelqu'un vous dit qu'il a mal à la tête.

L'infirmière haussa les épaules.

— Peut-être bien, oui.

— Une dernière chose, garde Lagacé, dit Jeanne alors que l'infirmière s'apprêtait à sortir. Pour quelle raison madame Bilodeau a-t-elle ce signe fait au marqueur ? dit-elle en désignant le bras de sa voisine.

L'infirmière se pencha pour examiner attentivement le dessin.

— Je n'en sais rien. Malheureusement, je ne peux pas vous répondre.

— Avez-vous remarqué cette nuit si ce dessin était là ?

Monique Lagacé fit une grimace d'impuissance.

— Non, je n'en ai pas de souvenir. Pourquoi ?

— Ça m'intrigue, tout simplement. Madame Bilodeau n'était plus en âge de se dessiner sur les bras... Je me demandais si ce symbole n'était pas un code entre gens de votre métier.

— Non, pas du tout. Nous n'écrivons pas sur les patients, inspecteur ! répondit l'infirmière en insistant sur ce dernier mot. Nous avons des dossiers pour ça. Ce sera tout ? Je peux partir ? conclut froidement l'infirmière.

Laberge fit signe que oui, surprise par le changement d'attitude de la garde qu'elle avait certainement piquée au vif avec sa dernière remarque.

— Je n'ai pas d'autres questions. Je vous remercie.

Monique Lagacé se dirigea vers la porte pour quitter la chambre. Une main sur la poignée, elle ajouta à l'intention de l'inspecteur :

— Vous devriez interroger l'infirmière qui était de garde cette nuit dans le département où se trouvait votre voisine. C'est elle qui s'occupait des injections. Peut-être pourra-t-elle vous répondre.

Elle tourna la poignée et sortit aussitôt, laissant Jeanne avec ses étranges demandes. Pour sa part, Laberge fit le tour de la pièce du regard, pensive. Elle sortit un petit carnet de sa poche et prit quelques notes.

Elle salua une dernière fois la vieille dame et l'embrassa sur le front.

— Adieu, Henrielle. Je suis heureuse de vous avoir eue comme voisine.

Marquée par la tristesse, Jeanne quitta la chambre. Lorsque la porte se referma derrière elle, elle constata toute l'activité qui régnait dans l'hôpital. La vie continuait et s'animait, malgré tout. Elle essuya ses yeux, inspira un grand coup, replaça l'une de ses mèches de cheveux et se dirigea vers le poste de travail des infirmières.

Malheureusement, l'infirmière qui était de service lors de la mort d'Henrielle avait déjà quitté l'hôpital, son quart étant terminé. L'inspecteur allait demander où la joindre, mais stoppa son élan en réalisant que, dans les faits, elle n'avait rien qui exigeait une réponse immédiate. Et puis, pourquoi s'obstiner à chercher des informations sur un détail insignifiant et qui avait certainement une réponse logique ? Malgré sa curiosité, elle en conclut qu'elle avait autre chose à faire. Elle prit donc le parti de se rendre au bureau. Après tout, elle avait trois enquêtes sur les bras et une multitude de questions qui exigeaient, elles aussi, des réponses.

* * *

Dès qu'elle mit les pieds au bureau, Laberge fut aussitôt interceptée par Marie-Christine, sa secrétaire, qui l'attendait avec une pile de papiers à signer et de rapports à lire. Elle lui tendit ensuite une liste de gens à rappeler et lui rappela son rendez-vous avec l'inspecteur-chef Levasseur à dix heures trente, soit dans dix minutes.

Pendant que Jeanne pénétrait dans son bureau, Marie-Christine la suivit, lui expliquant en quelques mots ce qu'elle avait à faire aujourd'hui et les urgences qu'elle devait gérer. Elle lui confirma également son rendez-vous à Joliette avec un certain Michel Charpentier. Laberge appréciait l'efficacité de la jeune femme, qui avait su remplacer madame Da Silva, partie à la retraite.

— Votre mère voudrait aussi que vous la rappeliez… Vous allez bien ? lui demanda sa secrétaire qui observait la mine défaite de sa patronne.

— Oui, merci. Je suis juste triste. Je viens d'apprendre le décès d'une amie.

— Oh, je suis sincèrement navrée. Souhaitez-vous que je remette vos rendez-vous et que je m'occupe de régler certains détails ?

— Non, je vous remercie, ça ira très bien. Je préfère m'occuper l'esprit.

— Désirez-vous un café, quelque chose? lui demanda Marie-Christine avec empathie.

Laberge se laissa choir dans son fauteuil en opinant de la tête.

— Ça, je veux bien. Merci, Marie-Christine.

La secrétaire referma la porte du bureau de sa patronne et fila vers ce que tout le monde au poste surnommait le bistro du coin, c'est-à-dire une simple machine à café filtre qui donnait un jus pas trop mauvais si on n'en buvait pas outre mesure. Après cinq tasses, il donnait par contre des aigreurs d'estomac. On se le tenait pour dit!

Jeanne décrocha le téléphone et composa son propre numéro. Elle savait que Richardson était encore à leur appartement ce matin; ayant travaillé tard plusieurs soirs d'affilée, il avait pris congé en matinée. Au bout de trois sonneries, il répondit enfin. Sans rien dire, Jeanne se laissa aller à pleurer et, entre deux sanglots, il comprit que leur voisine était décédée.

* * *

Laberge se séchait les yeux lorsque la secrétaire entra dans son bureau.

— Désolée, ç'a été un peu long. J'en ai fait du frais.

Âgée d'une petite trentaine d'années, Marie-Christine regardait Laberge du coin de l'œil. La secrétaire était déjà connue dans le poste pour son franc-parler, mais elle savait qu'elle devait parfois garder ses opinions pour elle. Elle ne fit donc aucun commentaire sur la mine déconfite de sa patronne et déposa la tasse fumante sur le bureau.

— C'est très bien, merci, dit l'inspecteur en se levant, café en main. Je vais voir Levasseur…

« Devrais-je lui dire avant qu'elle n'aille trouver le patron qu'elle a une tête à faire peur ? » songea Marie-Christine.

— Heu…

— Oui, Marie-Christine ? dit Jeanne en devinant que la femme retenait ses pensées.

La secrétaire hésita un instant…

— Vous devriez vous remaquiller un peu, je pense, dit-elle enfin.

* * *

— Ah, salut Laberge ! lança l'inspecteur-chef Levasseur, alors qu'elle venait tout juste d'entrer dans son bureau. Tu as une mine affreuse. Pas malade, j'espère ? Bon, je n'irai pas par quatre chemins ; nous savons tous les deux que ce n'est pas mon genre et tu détestes quand on tourne autour du pot. Alors voilà : je ne peux plus te laisser travailler sur le dossier de la rue Holt. Il est évident que ça n'aboutit à rien de concluant.

— Quoi, vous me retirez l'affaire Charpentier ? s'écria Laberge en refermant la porte derrière elle. Mais vous m'aviez donné une semaine… Il me reste encore du temps !

Jeanne posa sa tasse de café sur le bureau de son supérieur.

— Eh bien, non, il ne te reste plus rien ! Je veux que tu te consacres entièrement au cas de cette droguée, Manon Cloutier. Mets toutes tes ressources sur cette enquête. Je veux aussi que tu t'attardes à cette jeune femme qui est dans le coma. Je pense que tu en as assez sur les bras comme ça.

— Mais enfin... Je suis persuadée que cet homme a été assassiné. Vous avez lu le rapport, cette mort n'a rien de banal... J'ai plein d'éléments qui viennent...

— J'ai dit non, Laberge ! la coupa Levasseur. Tu n'as que des suppositions qui ne reposent sur rien. Donne-moi seulement un fait et je te laisse l'enquête.

Jeanne roulait des yeux. Elle n'avait rien à lui soumettre. Tout ne reposait effectivement que sur des impressions et des détails qui pouvaient s'expliquer et que Levasseur balayerait d'un geste de la main avec un enthousiasme évident. Elle n'avait rien de concret.

Elle secoua négativement la tête.

— Je n'ai rien.

— C'est bien ce que je disais. Écoute, Laberge, je n'ai ni les moyens ni les effectifs pour te laisser perdre ton temps sur cette histoire. De plus, la famille de la jeune Pasquali nous met de la pression. Son père a de l'influence, alors inutile de te dire que je reçois des appels.

— Et depuis quand ce genre de pression vous importune ?

L'inspecteur-chef ne répondit pas tout de suite, se contentant de faire de gros yeux à sa subalterne.

— Le sujet est clos. Allez, ouste, sors de mon bureau ! Trouve-moi quelque chose pour la gamine et sur Cloutier, et vite !

Elle le regarda durement en plissant le front.

— Tu ne m'impressionnes pas, Laberge, ajouta-t-il. Dehors, j'ai dit !

Alors qu'il lui hurlait de ne pas claquer la porte, Laberge prit son élan pour la fermer avec vigueur, au grand dam de son supérieur.

— Va au diable, entendit-elle à travers la cloison.

— Pauvre con !

Elle s'enferma dans son bureau en précisant à sa secrétaire qu'elle ne voulait pas être dérangée. Elle fulminait.

— Quelle journée de merde !

Jeanne ouvrit le tiroir de son bureau et sortit le dossier qu'elle avait commencé à monter sur Albert Charpentier. Il ne contenait pas grand-chose à part les informations découlant de l'autopsie pratiquée par Savard. « Je suis persuadée que la mort de cet homme n'est pas accidentelle », se dit-elle en poussant un profond soupir. Elle replaça le dossier dans son tiroir.

— Et zut, j'ai oublié mon café !

Chapitre 6

— Ah, docteur Benaissa, nous vous attendions ! Veuillez vous asseoir, je vous prie.

Le docteur Jean-Michel Toussaint était directeur des services professionnels de l'hôpital, un poste qu'il estimait important vu l'attitude qu'il se donnait. Dans la cinquantaine, l'homme arborait une petite moustache et des lunettes rondes. Il n'était pas connu dans l'hôpital pour son côté agréable, mais plutôt pour ses manières tranchantes. Malgré ses airs, le praticien portait très mal son costume et il manquait d'élégance. De toute évidence, il devait se sentir plus à l'aise en pantalon de sport et en chemisette. À ses côtés se trouvaient le directeur des médecins de garde, Joseph André, et deux représentants de la direction générale.

« Ça augure mal de voir tous ces gens réunis dans une même pièce », se dit Benaissa en saluant à la ronde et en s'asseyant dans le fauteuil qu'on lui désignait.

— Bon, allons droit au but si vous le voulez bien, docteur Benaissa. Vous connaissez les orientations de notre établissement et vous savez aussi que nous mettons toujours tout en œuvre pour protéger la réputation de l'hôpital.

Le médecin acquiesça d'un signe de la tête.

— Il s'est produit deux événements en peu de temps qui pourraient porter ombrage à notre jeune établissement, et nous souhaitons en discuter avec vous puisque vous étiez le médecin de garde les nuits pendant lesquelles ces deux épisodes ont eu lieu. Nous voulons parler de la mort de Brigitte Andrew-Saint-Georges et de celle de madame Henrielle Bilodeau. Ces deux décès ont eu lieu à des dates rapprochées et nous aimerions connaître votre version des faits. Nous avons évidemment lu les dossiers que vous avez écrits, et nous savons qu'il y a eu une enquête sur la mort de Brigitte, mais nous souhaitons vous entendre de vive voix.

Le médecin prit quelques secondes pour repenser aux incidents qui s'étaient produits avant de prendre la parole.

— Vous savez certainement que les probabilités que ces deux patientes meurent étaient très élevées, dit-il. Je suppose que vous avez déjà rencontré les médecins traitants de ces deux cas. Je vous expose donc mes observations. La petite Brigitte est née prématurément à trente et une semaines, ce qui a engendré de graves complications. La situation était difficile, mais a priori, son état ne semblait pas inquiétant outre mesure. La petite semblait aller mieux de jour en jour. Toutefois, l'arrêt respiratoire faisait partie des risques liés à sa prématurité. Quant à madame Bilodeau, elle a subi une fracture du col du fémur qui a sectionné l'artère circonflexe. En plus, elle a fait un anévrisme intracrânien à cause de sa chute. Une opération longue et difficile a été pratiquée par le docteur Jean Bertrand. Il est vrai qu'elle répondait très bien au traitement et qu'elle semblait se remettre rapidement de son accident. Son décès subit nous a tous pris par surprise, puisque madame Bilodeau présentait une amélioration croissante et était en voie de guérison.

— Oui, nous avons lu les rapports, docteur Benaissa, et nous connaissons ces faits. Mais ce qui retient notre attention, c'est que ces deux décès ont eu lieu durant votre service et de façon rapprochée. Vous avez demandé une autopsie et un rapport à la suite de la mort de Brigitte Andrew-Saint-Georges. Nous aimerions savoir pourquoi ? À cause de ces deux décès, vous comprenez que notre petite rencontre fait partie de la marche à suivre lorsque des faits de cette nature se produisent. Nous tenions à vous voir pour faire le point sur les événements. Entre nous, ce n'est qu'une simple rencontre de routine.

Le docteur Ghanem Benaissa expliqua encore une fois les circonstances entourant la mort des deux patientes et ajouta que tout avait été fait pour tenter de les sauver. Il justifia également la raison pour laquelle il avait demandé une autopsie de la petite Brigitte : il avait voulu savoir de quoi exactement elle était décédée.

Une fois qu'il fut établi qu'il n'y avait eu aucune faute professionnelle, le comité en conclut que le médecin et son équipe avaient bien fait leur travail. Il fut noté aux dossiers que toutes les procédures avaient été scrupuleusement respectées et que la mort des deux patientes n'était pas la conséquence d'une erreur humaine. Seul un geste de Dieu aurait pu sauver ces deux patientes. L'enquête interne pouvait donc être classée.

Au moment où les membres semblaient souligner la fin de la séance, Ghanem Benaissa se racla la gorge pour attirer leur attention.

— Oui, docteur, vous souhaitez peut-être ajouter quelque chose ? demanda Jean-Michel Toussaint en le fixant de son air antipathique.

— Oui ! J'aimerais attirer votre attention sur un détail concernant Brigitte Andrew-Saint-Georges.

— Allez-y, nous vous écoutons.

— Lorsque j'ai fait ma tournée quelque temps avant le décès de la petite, j'ai vérifié, comme je le fais chaque fois, tous les appareils ainsi que la sonde gastrique. C'est un réflexe. Je sais, pour l'avoir vérifiée, que la prise de courant du respirateur artificiel était correctement enfoncée dans son socle. Si ça n'avait pas été le cas, l'alarme se serait aussitôt déclenchée. Or, le signal d'alarme s'est mis en marche plus d'une heure après mon passage. Je suis arrivé le premier sur les lieux. L'équipe de réanimation m'a suivi et tout fut fait pour sauver le bébé. Ce n'est qu'une fois la mort de Brigitte constatée et officiellement inscrite que j'ai remarqué que la fiche la reliant au respirateur était à moitié sortie de sa prise.

— Nous savons tout ça, docteur Benaissa, et il a été entendu que nous garderions cette information secrète. Pourquoi revenez-vous sur ce sujet ?

— Je crois, monsieur, qu'il s'est passé quelque chose entre le moment où je suis sorti de la chambre des prématurés et celui où toute l'équipe est venue m'y rejoindre une heure après, en état d'urgence. Lorsque je suis passé voir le bébé avant son décès, tous ses signes vitaux étaient réguliers et l'appareil fonctionnait très bien.

— Attendez... Êtes-vous en train d'insinuer que quelqu'un serait entré après votre passage pour débrancher le respirateur en ne sortant sa prise qu'à demi, de façon que la mort du bébé passe pour un problème technique ? C'est insensé ! C'est du délire ! Et pour quelle raison, je vous prie, aurait-on agi de la sorte ?

— Je n'insinue rien, monsieur. Je vous rapporte ce que j'ai vu, tout simplement. Je me pose des questions, je cherche à comprendre... tout comme vous.

Les quatre hommes qui formaient le comité échangèrent quelques paroles entre eux, à voix basse. Il se passa de longues minutes avant que le directeur des services professionnels de l'hôpital reprenne la parole.

— Nous ne voulons pas mettre en doute votre observation, docteur Benaissa. Vous êtes un excellent médecin et vos confrères vous apprécient. Mais nous pensons que vous avez certainement mal vu. Effectivement, le spécialiste qui nous a remis son rapport détaillé sur l'appareil en question a bien mentionné que la fiche était partiellement sortie de sa prise. Il confirme cependant que l'erreur ne provenait pas du fonctionnement de la machine, mais plutôt de la fiche elle-même. Nous n'avons pas le détail ici, mais nous pouvons nous avancer à dire que la prise était usée et que l'usure a provoqué un désajustement.

« Un désajustement ? songea Benaissa. Mais où a-t-il pris ça ? Surtout que ces appareils sont régulièrement examinés, testés... »

— C'est donc un problème technique qui a tué la petite Andrew-Saint-Georges, poursuivit le docteur Toussaint en réajustant ses lunettes. Je pense que nous n'avons pas à revenir sur cette partie de l'histoire. Vous vous serez tout simplement trompé. Ce qui est tout à fait compréhensible lorsqu'on travaille de nuit. Je crois me rappeler que vous aviez eu une soirée fort occupée aux urgences. La fatigue nous joue souvent des tours. Un détail aussi insignifiant qu'une prise de courant à demi entrée dans son socle ne peut être pris en considération dans cette affaire.

Benaissa n'avait pas besoin d'explications supplémentaires pour comprendre que son commentaire n'était pas le bienvenu. Pire encore, il était superflu aux résultats de l'enquête sur les événements survenus cette nuit-là. Il était inutile de chercher un coupable, la chose était entendue : la faute en revenait à l'appareil.

« Plutôt pratique ! » pensa-t-il en poussant un léger soupir.

Cette rencontre n'était qu'une mise en scène destinée à montrer que la procédure d'enquête interne dans le but d'établir avec exactitude les faits liés à la mort d'un patient avait été suivie, alors qu'en réalité le dossier était clos depuis les incidents.

Le docteur Benaissa bougea lentement la tête, en signe d'entendement. Il était parfaitement vain de poursuivre. Ceux qui se trouvaient en face de lui ne voulaient pas l'entendre. Ils avaient raison ! S'entêter à leur faire voir la réalité risquerait de se retourner contre lui. Mieux valait parfois masquer la vérité que de bouleverser l'ordre des choses. Il ne le savait que trop bien.

Les quatre hommes serrèrent la main du docteur Ghanem Benaissa en le félicitant pour son excellent travail.

Le médecin resta un moment seul à regarder les places vides qu'avaient occupés les quatre représentants de l'hôpital. Il secoua légèrement la tête avant de quitter lui aussi la petite salle de réunion.

* * *

Même si Levasseur lui avait ordonné de laisser tomber l'enquête concernant la mort d'Albert Charpentier, l'inspecteur Laberge gardait tout de même l'esprit éveillé. Elle espérait toujours trouver l'indice qui lui permettrait de confirmer ses soupçons et de revenir à la charge le moment venu. À côté des photos de Manon Cloutier et de Francesca Pasquali, elle épingla celle de la scène présentant l'homme mort. Trois affaires bien distinctes n'ayant apparemment aucun lien entre elles, mais qu'elle voulait résoudre au plus vite. Comme dans toutes les affaires de crime, le temps jouait contre elle, elle ne le savait que trop.

Laberge avait aligné les trois dossiers, comme pour se donner une vue d'ensemble. Elle devait maintenant se concentrer sur le cas des deux femmes, mais refusait de perdre de vue celui de la rue Holt. Nixon et elle visiteraient le lendemain matin les parents de Manon Cloutier. En plus de les questionner, ils allaient leur apprendre la mort de leur fille.

* * *

La voiture de l'inspecteur suivit un petit chemin qui menait vers une ancienne fermette joliment restaurée.

L'endroit était invitant et calme, avec ses bouleaux et ses bosquets. La demeure appartenait à madame Labonté-Forest depuis plus de trente ans. Elle y vivait avec son nouveau conjoint depuis maintenant sept ans.

Monsieur Cloutier était décédé d'un cancer du poumon, une quinzaine d'années plus tôt, alors que Manon et sa sœur n'étaient encore que des adolescentes. La mort de Serge Cloutier avait été douloureuse pour les deux jeunes filles, qui avaient vu leur père dépérir pendant des mois avant qu'il ne meure à l'hôpital, en pleine nuit. Pendant les semaines qui avaient suivi, la famille Cloutier s'était enfermée dans un profond mutisme, vivant à grands coups de silence la tristesse qui les assaillait. La mère, malgré sa propre douleur, avait entouré ses filles d'amour et d'attentions, allant même jusqu'à les surprotéger des aléas de la vie. Elle veillait sur ses filles en priant Dieu chaque soir que le malheur se tienne loin d'elles. L'assurance-vie de monsieur Cloutier leur avait assuré un certain confort, sans parler de la petite affaire florissante qu'il avait démarrée. Au moins, l'argent n'avait pas été un souci, et les filles avaient même eu droit à leur part d'héritage, qu'elles avaient touchée à leur majorité.

Madame Labonté-Forest avait raconté cette histoire en pleurant. Son conjoint, le dos tourné à Laberge et Nixon, regardait par la fenêtre. L'inspecteur et son collègue venaient de leur apprendre le décès de Manon, et la façon dont elle avait trouvé la mort. C'est sur cette triste fin que la mère déversait sa peine. Aucun parent ne souhaite que son enfant meure, et certainement pas dans de telles circonstances : seule dans une ruelle, une aiguille dans le bras. Il y avait quelque chose de misérable là-dedans. Il y a des morts plus difficiles à accepter que d'autres, songea Laberge, et elle savait que celle-ci était en tête de liste des moins tolérables pour les proches des victimes.

— Je ne comprends pas ce qui a pu se passer avec ma fille. Pourtant, Manon a eu une enfance heureuse, tout comme sa sœur, bien sûr jusqu'à la mort de leur père. C'est certain que perdre un parent change une vie, surtout quand on est enfant. Les filles avaient onze et douze ans. Manon est l'aînée. Je me rappelle qu'après le décès de Serge, elle est demeurée enfermée dans sa chambre pendant près de deux semaines, refusant de voir quiconque et grignotant du bout des lèvres ce que je lui apportais à manger. À partir de ce jour-là, elle a beaucoup changé. Elle devenait plus difficile et se retranchait souvent dans un mutisme qui rendait le quotidien très pesant. L'ambiance était lourde dans la maison. Elle en voulait à la terre entière. Même si je lui ai dit plusieurs fois que personne n'était responsable de la mort de son père, que c'était la maladie qui l'avait tué, elle ne l'acceptait pas. Elle était comme enragée.

— Et votre autre fille ?

— Linda a fait son deuil plus en douceur, lentement, et je dirais qu'elle cheminait normalement vu les circonstances. Il faut dire que Linda est plus extravertie. Elle dit ce qu'elle pense et parle tout le temps. J'imagine que ces traits de caractère l'ont aidée à passer à travers son chagrin. Elle tenait un journal, exprimait ce qu'elle ressentait. Contrairement à sa sœur qui refusait qu'on aborde le sujet, Linda parlait plus facilement de ce qui s'était passé. Manon n'est jamais allée sur la tombe de son père, vous savez. Moi, ça me faisait de la peine. J'ai souvent essayé de lui en parler, mais elle fuyait. Elle s'enfermait dans sa chambre et écoutait sa musique pendant des heures et des heures.

— Que s'est-il passé par la suite ? Comment se comportait-elle à l'école et quelles étaient ses fréquentations ?

— J'ai beaucoup, beaucoup insisté pour qu'elle termine ses études secondaires, qu'elle voulait abandonner. Elle a quitté la maison quelques jours après avoir fêté son dix-huitième anniversaire. Elle venait de toucher sa part d'héritage, et elle souhaitait poursuivre ses études à Montréal. Elle voulait être maquilleuse. Elle semblait bien déterminée. J'étais heureuse de voir qu'elle pensait à l'avenir, qu'elle recommençait à avoir des rêves. Mais ma joie fut de courte durée. À peine un mois après son emménagement dans un petit appartement sur la rue de Marseille, dans Hochelaga, elle a rencontré Stanley. Elle est tombée amoureuse de lui. J'ai su à l'instant que j'ai vu ce garçon qu'il n'était pas quelqu'un de bien. Mon intuition s'est vite révélée juste. Quelques mois seulement après leur rencontre, Manon s'est retrouvée sans le sou. Plus un cent de son héritage ! Tout était passé dans des soirées arrosées d'alcool et dans des futilités. Elle est venue plusieurs fois me trouver pour me demander de l'argent, jusqu'au jour où Jean, mon nouvel époux, lui a dit que c'était assez. Non pas que nous étions insensibles à ses besoins. On voulait plutôt lui faire comprendre que tant qu'elle aurait de l'argent, son Stanley abuserait de sa confiance. Il profitait d'elle. Or, ce que nous pensions être une bonne idée s'est retourné contre nous. Manon a très mal accusé notre refus et nous a tourné le dos. Nous savions qu'elle prenait de la drogue. Il aurait fallu être aveugle pour ne pas le voir. Elle arrivait toujours ici complètement défoncée, comme disent les jeunes. Je ne la reconnaissais plus. Dieu m'est témoin que nous avons tenté plusieurs fois d'aborder le sujet avec elle, mais elle s'emportait et partait en claquant la porte la plupart du temps. Vous savez, j'ai toujours su qu'elle finirait comme ça. Je le sentais au fond de moi. J'en ai passé des dimanches à prier à l'église ! Même quand la messe était terminée, je restais des heures à demander au bon Dieu d'aider ma petite Manon. J'ai si souvent pleuré de la voir s'abîmer ainsi, de la voir se détruire sans aucun respect pour ce qu'elle était. Vous avez des enfants, inspecteur ?

— Non.

— C'est peut-être une bénédiction. Car, vous savez, un enfant qui s'en prend à sa propre vie en se détruisant par la drogue ou l'alcool, c'est le pire tourment qu'il puisse infliger à sa mère, elle qui lui a fait justement le don de cette chose unique et si précieuse qu'est la vie en le portant. Manon était depuis un moment déjà en chute libre vers la mort. Elle creusait sa propre tombe et, croyez-moi, c'est horrible de voir son enfant couler ainsi. L'inquiétude nous ronge par en dedans ! Vous ne pensez qu'à ça et vous vous demandez à chaque instant ce que vous avez fait pour mériter un tel châtiment. Il faut que votre enfant vous déteste énormément pour vous faire subir de telles peines. La culpabilité est insoutenable, vous savez. Oh, nous avons bien essayé de la sortir de là, mais il n'y avait rien à faire. Elle refusait notre aide.

— On ne peut aider quelqu'un contre sa volonté, dit enfin l'homme qui regardait toujours par la fenêtre.

Laberge ne voyait pas son visage, mais elle comprenait à ses gestes discrets qu'il essuyait ses yeux. Il se tourna enfin et vint prendre place à côté de sa femme. Il lui prit la main. Laberge remarqua alors toute la tristesse qui l'envahissait. Même s'il n'était pas le père de Manon, il semblait souffrir de la mort de sa belle-fille. Ou peut-être pleurait-il de voir la femme qu'il aimait si malheureuse.

— Monsieur Forest, quels étaient vos rapports avec Manon ? demanda Laberge.

— Corrects, mais sans plus. Manon ne m'aimait pas beaucoup, en vérité. Elle supportait bien mal de me voir dans la maison de son père. Lorsque sa mère lui a dit que j'emménageais ici, elle s'est levée et a quitté la maison sans rien dire. Elle n'a donné signe de vie que trois jours plus tard, en l'appelant pour lui dire d'acheter un nouveau lit et de changer le mobilier de la chambre à coucher. Elle ne voulait pas que je vive et que je dorme dans les meubles de Serge. Quand elle venait, elle demeurait polie, tout au plus. Elle ne me parlait pas directement et ne faisait que répondre à mes questions, sans jamais m'en poser. Elle ne m'a même jamais demandé comment j'allais ! J'ai pourtant bien essayé de faire la conversation, mais sans succès. Manon m'a toujours laissé en marge de sa vie. J'étais le *chum* de sa mère, le gars qui habitait chez elle.

Hélène tapota la main de son conjoint en signe de compassion. Laberge observait ces échanges muets qui étaient toujours très révélateurs.

— Connaissiez-vous, madame, les gens que Manon fréquentait ?

— Non, nous ignorons tout de sa vie d'adulte. Elle n'en parlait jamais, elle ne voulait jamais en discuter. Nous sommes allés la voir à quelques reprises chez elle, à Montréal, mais son accueil était froid. Elle ne nous proposait jamais d'entrer, nous laissant sur le seuil, et coupant court à la conversation. Son attitude me bouleversait tellement qu'on a cessé nos visites. Mais chaque fois, sa descente aux enfers était plus frappante. Ma fille devenait laide, inspecteur, elle qui avait été si jolie, si vivante et si enjouée... Ce que je voyais lorsqu'elle venait ici n'avait rien à voir avec ce qu'elle avait été. Je ne la reconnaissais plus... et pourtant, je suis sa mère ! Mais ce n'était plus ma Manon !

— Où vivait-elle la dernière fois que vous l'avez vue ?

— Toujours à la même place, rue de Marseille, dans Hochelaga.

— Pourriez-vous nous donner son adresse ?

La mère de Manon parut surprise par la demande de Laberge et cette dernière en devina la raison. Comment se faisait-il que la police ne possédât pas l'adresse de sa fille ? Or, l'inspecteur ne voyait pas l'intérêt de lui dire que Manon avait un deuxième appartement, presque vide, dont l'adresse figurait sur ses cartes d'identité. Elle n'avait pas envie non plus de lui dire que sa fille y recevait une fois par mois un chèque du bien-être social, et que, probablement, elle y rencontrait des clients. C'était inutile.

— Madame Labonté-Forest, Manon entretenait-elle des liens avec sa sœur ? Étaient-elles en contact ?

— Très peu, dit la mère en secouant la tête. Linda, ma deuxième fille, vit avec son amoureux à Québec. Elle a investi sa part d'héritage dans son salon de coiffure. Depuis le départ de Manon, elles ne se sont presque jamais revues. Il faut dire qu'elles n'ont jamais été proches l'une de l'autre, malgré mes efforts pour qu'elles créent des liens.

— Elles ne s'entendaient pas ?

— J'imagine que ce sont simplement les circonstances qui ont mené à leur éloignement. Leur relation s'est réellement détériorée alors qu'elles étaient adolescentes. Le compagnon de ma fille, Richard, était le petit ami de Manon avant qu'il rencontre Linda. Mais, croyez-moi, ce n'est pas Linda qui lui a volé son amoureux, c'est simplement la vie qui en a décidé ainsi. Ils sont tous les deux tombés follement amoureux l'un de l'autre. D'ailleurs, ils le sont toujours. Ils ont même un petit garçon, Stéphane. Un vrai petit ange… Ce n'était pas dirigé contre sa sœur, mais l'amour, ça ne se contrôle pas. Manon n'a jamais pardonné à Linda… C'est compréhensible. Mais je me disais qu'avec le temps, elle s'y ferait. Il faut croire que Manon n'a jamais accepté la situation…

— Vous voulez dire qu'elles ne se parlaient plus depuis l'union de Linda et de Richard ?

— Exactement. Même la naissance de leur garçon n'a rien changé. Manon n'est pas venue à son baptême. Elle ne l'a jamais vu.

— Elle lui en voulait beaucoup, émit Nixon.

— Oui, c'est sûr.

Laberge opina de la tête en signe de compréhension.

— J'aimerais savoir, madame Labonté-Forest, comment je peux joindre Stanley. Quel est son nom de famille ?

La femme secoua la tête.

— Nous ignorons complètement comment le joindre. Jamais nous n'avons eu d'information à son sujet, ni même un numéro de téléphone. La seule chose que je peux vous dire, c'est qu'il s'appelle Stanley Napier. Il a le même âge que ma fille. J'ignore même s'ils étaient encore ensemble. Ça fait des mois que nous n'avons pas vu Manon. Elle ne retournait jamais mes appels.

— Pourquoi vous en voulait-elle autant? Je comprends sa peine et son désir de partir, mais je ne saisis pas pourquoi elle vous traitait avec autant d'indifférence.

La femme regarda son mari, tandis que les larmes roulaient sur ses joues. L'homme lui serra la main.

— Manon était persuadée que son père était mort à cause de moi. Elle m'accusait d'avoir provoqué sa maladie.

— Comment auriez-vous pu en être responsable, au juste ?

Hélène Labonté-Forest baissa les yeux un instant avant de poursuivre.

— Elle me disait coupable de la mort de Serge, car à l'époque, je le trompais. Peu de temps après avoir découvert mon infidélité, il a reçu son diagnostic de cancer. Manon a été témoin de nos conversations. Linda, elle, n'en a jamais rien su. À partir de ce jour, l'attitude de Manon à mon égard a changé complètement. Je me rappelle cette fois où je ne voulais pas qu'elle fréquente un garçon de son école: elle m'avait lancé en pleine figure que je n'avais aucun droit de regard sur sa vie et que j'étais mal placée pour lui dire qui fréquenter, alors que je couchais avec tout le monde, qu'elle disait. J'ai compris qu'elle était au courant de mon aventure. Elle a ajouté que son père était mort parce que je le trompais. J'ai bien essayé de la raisonner, mais je n'y suis jamais parvenue.

Hélène éclata en sanglots devant le triste constat de son échec avec sa fille. Deux solitudes qui ne s'étaient jamais trouvées, songea Laberge en prenant congé des Labonté-Forest.

* * *

Lorsque Laberge prit place dans la voiture, Nixon, qui ne parlait à peu près jamais lors des rencontres, se contentant plutôt d'écouter et de noter les informations qu'il jugeait intéressantes, fit ses premiers commentaires.

— Triste histoire de famille ! Schéma classique de la jeune fille qui se sent abandonnée : le père qui meurt et l'amoureux qui lui préfère sa sœur.

— Oui, c'est bien triste tout ça. Gageons que Stanley aura su lui prodiguer toute l'attention dont elle avait besoin, jusqu'à la pousser sur le trottoir ou à traficoter autre chose… Pour pouvoir se payer deux appartements, faire la fête et consommer, Manon ne devait pas vivre de l'air du temps. Allons trouver ce grand gentleman…

Chapitre 7

Laberge et Nixon se tenaient devant le propriétaire du petit immeuble de la rue de Marseille. Sam – c'est le nom qu'il leur donna – était un homme dans la cinquantaine, au visage luisant et sentant l'ail à plein nez. Il ne sembla pas éprouver la moindre tristesse à l'annonce du décès de sa locataire.

— Une droguée de moins ! lâcha-t-il en tendant à l'inspecteur la clef de l'appartement de Manon.

— Vous êtes dur ! lui lança Laberge en le regardant avec sévérité.

« Un autre qui se pense plus fin que tout le monde ! » pensa-t-elle en jetant un regard à Nixon qui, elle s'en doutait, devait se retenir pour ne pas remettre vertement l'homme à sa place.

— Une toxicomane qui payait tout de même son loyer, dit finalement Nixon avec une légère rudesse dans la voix.

— Ouais… mais une droguée pareil ! Le problème avec les drogués, c'est qu'ils finissent toujours par plus le payer, leur loyer… Mais bon, je sais pas comment elle faisait, elle, et je veux pas le savoir, mais elle avait toujours les sous… Bien que j'aie ma petite idée là-dessus.

— Allez-y, nous serions curieux de la connaître, votre petite idée, lui lâcha Laberge, un sourire au coin des lèvres.

Les gens qui avaient des opinions aussi tranchées sur leurs voisins en savaient toujours long sur eux…

Il la regarda, mais ne sembla pas séduit par l'invitation. Il se gratta furieusement le fond de la tête en regardant ses pieds, comme s'il se demandait s'il devait ou non dire à ces flics ce qu'il pensait.

— Ben, je pense qu'elle faisait la pute…

— Voyez-vous ça ! Vous l'avez vue ramener des clients chez elle ?

— Nan, nan, j'ai jamais vu personne chez elle, à part son copain, et deux trois fois ses parents, je pense, mais je suis pas sûr… Je dis ça parce qu'ils restaient sur le pas de la porte, elle les invitait jamais à rentrer, alors je sais pas trop… peut-être des témoins de Jéhovah !

— Comment pouvez-vous affirmer qu'elle se prostituait, dans ce cas ?

L'homme semblait soudain mal à l'aise. Il se gratta encore une fois le crâne et fit un pas à l'extérieur de son appartement en tirant la porte derrière lui, après avoir jeté un coup d'œil pour s'assurer que personne ne se trouvait proche.

— Je vous écoute, l'invita Jeanne sur le ton de la confidence.

— Ben, ça m'arrive des fois, commença-t-il en baissant le ton, pas souvent là, je suis pas un obsédé, d'aller faire un tour sur la *Main*… pour me changer les idées… vous comprenez ?

Les deux policiers le regardaient en attendant la suite.

« Et ça se permet de juger les autres... », se dit Jeanne, tout en se retenant d'exprimer à voix haute ce qu'elle pensait.

L'homme semblait gêné, ce qui amusait Nixon, qui se retenait de rire. Il décida de venir en aide au propriétaire.

— De temps à autre, vous vous payez du bon temps avec l'une des charmantes demoiselles qui fréquentent le coin, c'est ça ? Rien de bien méchant, juste une p'tite vite, ça ne fait de mal à personne, hein ?

Sam plissa le front, mais opina de la tête. On aurait dit un enfant pris à faire une bêtise. Il regardait nerveusement vers la porte. Laberge se doutait bien que sa femme ne devait pas être loin et qu'il avait peur qu'elle surprenne la conversation.

— Avez-vous couché avec votre locataire ? demanda-t-elle tout en montant légèrement le ton pour ajouter au stress de Sam.

— Êtes-vous f... l'homme ne termina pas sa phrase, conscient soudainement qu'il s'adressait à un inspecteur de police. Jamais d'la vie, voyons donc, j'ai des principes, vous saurez ! s'offusqua-t-il en faisant des gros yeux et en jetant un coup d'œil derrière lui. Non, pas avec elle... mais je l'ai souvent vue là, qui traînait.

Laberge n'en revenait pas. L'homme jugeait sa locataire comme si elle n'était qu'une moins que rien, et semblait faire une distinction très nette entre son comportement et le sien. Elle, c'était une pute, donc une paria, mais lui, qui se payait des prostituées, était un bon garçon parce que ça n'arrivait pas souvent. Elle rêvait de lui dire ce qu'elle pensait de ses beaux principes !

« Espèce d'hypocrite ! »

— L'avez-vous vue en train de faire des propositions à des hommes qu'elle ne connaissait pas ou erraitelle seulement sur la *Main* ? demanda Laberge.

— Ben, je sais pas trop, moi... Elle se tenait là, habillée comme une *guidoune*... pis elle avait de l'argent. Elle me payait toujours son loyer en billets de vingt piasses. Jamais de chèque. Demandez au gars qui la fréquentait, il doit bien savoir quelque chose... en tout cas, plus que moi !

— Nous allons le faire. Une dernière question, Sam. Que pouvez-vous nous dire sur ce gars, justement ? questionna l'inspecteur.

— J'ai rien à dire. Je le voyais juste entrer et sortir. J'y ai même jamais parlé. Mais il a pas l'air ben méchant. C'est pas un gars de bicycle, en tout cas !

« Si je pousse plus loin mes questions, je me demande s'il ne va pas me dire qu'il possède une moto, mais qu'il ne porte pas de tatouage, lui, parce que ce n'est pas un *bum* et qu'il ne donne pas dans le trafic de stupéfiants... Parce qu'il a des principes, le monsieur ! »

L'inspecteur et son adjoint remercièrent le propriétaire en lui disant qu'il était possible qu'ils aient d'autres questions et qu'il devait demeurer disponible. L'homme grimaça en marmonnant que, de toute façon, il n'avait pas vraiment le choix de leur répondre. Laberge se retint encore une fois de lui dire ce qu'elle pensait.

Accompagnée de Nixon, elle se dirigea vers l'appartement de Manon Cloutier qui était situé au dernier étage de l'immeuble de dix logements. Deux agents de police filaient en direction de la ruelle qui donnait sur l'arrière du bâtiment.

Lorsque Nixon et elle ouvrirent la porte du quatre-pièces, ils furent accueillis par de la musique. Sur ses gardes, Nixon s'adossa au mur en sortant son calibre 38, tandis que Laberge maintenait la porte grande ouverte.

— Police ! cria-t-elle, l'arme au poing. Qui que vous soyez, montrez-vous !

Mais il ne se passa rien. Son adjoint lui fit signe qu'il entrait en pointant du doigt le passage juste en face d'eux. Dans un parfait synchronisme, ils changèrent de place, tout en assurant la sécurité l'un de l'autre. Nixon était maintenant en position de voir le salon ; par chance, un miroir lui offrait une vue sur la pièce. Laberge, elle, se pencha un peu pour apercevoir une partie de la cuisine.

Son second lui fit un signe négatif de la tête. Il ne voyait personne. Pour que Jeanne puisse affirmer la même chose, elle n'avait d'autre choix que de s'avancer, puisqu'il y avait une bonne partie de la cuisine qu'elle ne voyait pas. Elle savait, grâce au propriétaire, qu'il y avait une porte qui donnait dans la ruelle où les deux autres agents étaient postés. Elle fit signe à Nixon qu'elle allait avancer. Ressentant alors la peur lui saisir les entrailles, elle inspira profondément avant de faire quelques pas, l'arme bien en main à la hauteur de sa poitrine.

La musique provenait d'un poste radio situé dans la cuisine. L'animateur y allait de son top dix : « *Il est quinze heures quarante-trois et nous venons d'entendre* Lily, Rosemary and the Jack of Hearts *de Bob Dylan…* »

Lentement, Laberge entra dans la pièce, qui se révéla vide. Elle fit signe à Nixon de la suivre avant de lui désigner une porte fermée qu'ils encadrèrent aussitôt. L'inspecteur posa la main sur la poignée et l'ouvrit subitement. Elle donnait sur une petite salle de bains inoccupée. Il n'y avait personne dans l'appartement et la porte menant à la cour arrière était fermée à clef. Une chaîne indiquait que personne n'était sorti par là. La radio fonctionnait certainement depuis le départ de celui ou de celle qui l'avait laissée ouverte. Laberge poussa un soupir de soulagement, heureuse de constater que la situation n'avait rien de dangereux. Elle n'aimait pas l'idée de se servir de son arme. Une seule fois depuis qu'elle était dans la police elle avait dû l'utiliser, blessant à la cuisse un homme qui fuyait après avoir tiré sur un policier. L'éventualité de devoir faire feu sur quelqu'un lui venait souvent à l'esprit, mais chaque fois, elle tentait de l'ignorer, préférant ne pas y songer, tout en sachant pourtant qu'un jour elle devrait y faire face.

— Et merde ! On s'est fait berner par une radio, lança-t-elle non sans rire.

— On ne pouvait pas savoir, répondit Nixon en regardant par la fenêtre afin de voir s'il était possible de sortir par là.

Au même moment, les deux autres policiers arrivèrent dans l'appartement pour informer l'inspecteur qu'ils n'avaient rien à signaler. Personne n'était passé dans la ruelle.

— Bon, allez, on retourne cet endroit. J'aimerais bien que nous rentrions à une heure décente, idéalement pour souper avec notre moitié, dit-elle en jetant un œil en biais à son adjoint.

Nixon ne répondit rien, mais son humeur changea. Elle le remarqua. Mieux valait qu'il garde pour lui ses pensées.

— Je me charge du salon, dit-il en s'éloignant.

Ils fouillèrent l'appartement dans ses moindres recoins. Dans la cuisine, Laberge ouvrit les armoires une à une, vérifia le contenu de chaque récipient, tâta le dessous des comptoirs, retira les tiroirs. Elle ouvrit la porte de ce qui semblait être le garde-manger de la locataire et constata non sans sourire que là encore ne se trouvaient que des boîtes de céréales, toutes entamées. Il y avait aussi du gruau, des biscuits, des nouilles et du beurre d'arachides.

« Décidément, elle se nourrissait comme une adolescente ! »

— Tiens, Laberge, regarde ce que je viens de trouver, fit Nixon en arrivant dans son dos.

Il tenait à la main une pochette en nylon de mauvaise qualité et aux couleurs criardes.

« Le genre de truc qu'on reçoit en cadeau lorsqu'on achète un nécessaire à maquillage », songea Jeanne en prenant la trousse.

Elle l'ouvrit et découvrit trois seringues, une cuillère et tout ce qu'il fallait pour planer quelque temps.

— D'après les dires de sa mère, la façon dont elle est morte, et ce que nous avons appris sur elle, nous pouvons certainement en conclure que cet étui et son contenu lui appartenaient. Je pense qu'il est temps d'avoir une discussion avec son petit copain. Tu le convoques au poste.

— Très bien.

Laberge s'adressa aux deux autres policiers.

— Continuez de fouiller, peut-être découvrirons-nous des choses intéressantes. Trouvez-moi son agenda, ou un truc où elle notait ses rendez-vous. Je veux connaître le nom de ses amis et des gens qu'elle fréquentait. Ramassez son courrier, ses photos, les mots et les lettres que vous trouverez. Nixon, je repars au poste ; j'ai deux trois petites choses à vérifier. On se voit demain matin pour l'interrogatoire de Stanley Napier. Enfin, je l'espère…

* * *

Le lendemain matin, en entrant dans la pièce où se tenait Stanley Napier, Laberge ne fut pas vraiment impressionnée par celui pour qui Manon Cloutier avait craqué au point de changer complètement de vie. Stanley Napier était petit et plutôt quelconque avec son visage ovale, ses petits yeux noirs et son nez aquilin.

« Rien du tombeur ! » songea-t-elle en prenant place devant lui.

— Bonjour, je suis l'inspecteur Jeanne Laberge. Je suis chargée de l'affaire sur la mort de Manon Cloutier.

— Ah, ouais, je sais qui vous êtes. Je vous ai vue à la télé…

Jeanne ne releva pas le commentaire, c'était inutile. Elle n'était pas là pour piquer une jasette avec le copain de la victime.

— Commençons, veux-tu… Quels étaient tes rapports avec Manon ?

— Ben, on couchait ensemble, si c'est le sens de votre question.

— Vous n'étiez qu'amants ?

— Mmm, ouais, mais c'est un peu compliqué. Moi, je le voyais comme ça, je trouvais ça plutôt relax comme relation, on était bien, on baisait, on rigolait, et hop, on rentrait chacun chez soi. Mais pas elle. Manon aimait dire qu'on était un couple. Elle nous voyait comme ça. Elle a même réussi à me traîner deux ou trois fois chez sa mère, mais notre couple était faux.

— Pourquoi faux ?

— Parce qu'on n'était pas fidèles, pis moi, je ne l'aimais pas... ben pas comme elle. Je l'aimais bien, mais pas assez pour que ça soit sérieux.

— Je vois. Tu prenais ce qui t'arrangeait, comme ses fesses et son argent, c'est ça ? ne put retenir Jeanne.

— Ouais, c'est à peu près ça, mais en plus compliqué quand même, lui répondit-il sur un ton pince-sans-rire. Entre nous, inspecteur Laberge, c'est pas ce que tout le monde fait ? Je veux dire, on est avec quelqu'un pour ce que ça nous rapporte, pas pour ce qu'on donne, non ? Je crois pas au dévouement, au désintéressement. Les gens attendent toujours quelque chose, même un simple « merci » ou encore un sourire. Même quand on est en amour, c'est pour nous qu'on aime, pour ce que ça nous fait en dedans ; la preuve, c'est que quand ça nous fait plus rien, ben l'autre, on s'en fout. Vous êtes pas d'accord ?

— Je ne crois pas que mon avis ait de l'importance, Napier.

— Oui, bien sûr qu'il a de l'importance, votre avis ! Vous, vous pensez tout le temps aux autres avant de penser à vous ? poursuivit-il sans tenir compte de sa réponse. Je pense pas ! Vous êtes pas différente de moi ni de personne ! On n'agit dans la vie que par intérêt.

Jeanne eut comme une impression de déjà-vu dans ce qu'affirmait celui qui se trouvait devant elle. Tout à coup, les paroles de la bénévole croisée à l'hôpital lui revinrent en mémoire.

— Évidemment, répliqua Laberge, cette philosophie s'applique à merveille quand il est question d'argent… et elle en avait, Manon, surtout au début.

— Oui, c'est vrai. Elle avait touché un beau paquet de bidous, mais, vous savez, l'argent est une chose bien éphémère, ça ne fait que passer entre nos mains… Et vous savez quoi, je lui ai jamais demandé une cenne ! Ça vous surprend, hein ? C'est qu'elle était pas mal généreuse avec moi, elle me gâtait tout le temps… J'avais pas besoin de demander, rajouta-t-il dans un sourire que Laberge aurait bien aimé lui faire ravaler. Manon avait toujours du fric, elle réussissait toujours à s'en faire, elle magouillait, quoi !

— Est-ce que tu savais que Manon se droguait ? demanda-t-elle pour reprendre en main son interrogatoire.

— Ben oui, évidemment ! C'était pas un secret.

— Elle le faisait avec toi ?

— Non. Je touche plus à la drogue depuis deux ans. J'ai failli mourir d'une *overdose*. On dit qu'il faut parfois toucher le fond du baril pour mieux remonter à la surface, ben, c'est ce qui m'est arrivé. Je touche plus à ça… J'ai mis une croix là-dessus…

— Tu prends quoi ?

— Rien. Je prends un coup des fois, comme tout le monde.

— Est-ce que tu sais si Manon avait des problèmes ?

— Comme quoi ?

— Je ne sais pas, moi. On sait qu'elle consommait et tu me dis qu'elle était la reine des magouilles, peut-être que ses fameux traficotages lui ont attiré quelques ennuis.

— Ben, c'est sûr que quand tu traînes dans ce milieu-là, c'est pas facile. Mais à part une ou deux filles qui l'aimaient pas, je vois pas. Rien de sérieux, je veux dire.

— Pourquoi ces filles ne l'aimaient pas ?

Stanley demanda à s'allumer une cigarette, ce à quoi Laberge consentit en lui en offrant une de son propre paquet.

— Ben, Manon était pas toujours très gentille avec les filles qui font le trottoir…

— Oui, et… ?

— C'est arrivé à quelques reprises qu'elle leur vole un client régulier.

— Et les *pimps* la laissaient faire ?

— Je sais pas trop comment elle faisait au juste, elle me donnait jamais de détails sur ses affaires. Je crois qu'ils avaient une entente, mais j'en sais pas plus.

— Tu as certainement une idée, par contre.

— Je pense qu'elle les fournissait en *dope* gratuitement, de temps en temps… Un service contre un service, c'est toujours payant.

— Qui fournissait Manon ?

L'homme se replaça sur sa chaise. Il passa plusieurs fois la langue sur ses lèvres et sa jambe gauche se mit à s'agiter. Il devenait nerveux et Laberge en connaissait parfaitement la raison. Évidemment, lâcher le nom d'un *dealer* n'était pas sans conséquences, ils le savaient tous les deux. Il écrasa le mégot de sa cigarette et en alluma une nouvelle aussitôt, en la prenant dans son propre paquet, cette fois-ci.

— Je veux juste son nom, Stanley. Tu lui dois bien ça, à Manon. Tu l'aimais bien, après tout ? Vous avez eu beaucoup de plaisir ensemble, non ? dit Laberge en changeant de ton. Mourir d'une « double surdose » dans le fond d'une ruelle, avoue que ce n'est pas très sympa... Et puis, je dis ça comme ça, mais je te rappelle que tu n'as pas d'alibi pour la nuit où elle est décédée. Tu affirmes être demeuré chez toi, mais personne ne peut confirmer ton affirmation. C'est bête, ça...

Stanley avait perdu son air railleur. Il allait répliquer quelque chose de cru, mais il se ravisa. Il savait que c'était inutile. La police cherchait à savoir ce qui s'était passé et il figurait certainement en tête de liste des principaux suspects dans cette triste affaire. S'ils voulaient le coincer, ils en avaient les moyens. Il suffisait qu'ils fouillent son appartement et découvrent du *stock* volé ; il se retrouverait encore une fois devant le juge, qui serait peut-être moins clément, cette fois-ci. Il tourna la tête vers la fenêtre grillagée, pesant le pour et le contre de ce qu'il allait dire à Laberge.

— Le gros Mig, lâcha-t-il enfin du bout des lèvres, comme s'il livrait un secret que personne d'autre ne devait entendre.

— Tu parles bien de Miguel A. Robert ?

Napier fit signe que oui, n'osant plus rien dire, comme si le seul fait de répéter ce nom allait le tuer sur place.

— OK ! Nous allons vérifier ça. Et ne t'inquiète pas, nous ne divulguerons pas notre source. Tu n'es pas le seul que nous interrogeons ! Autre question pour toi, Stanley, elle est facile, celle-là. Tu as confirmé que Manon se prostituait... pour qui travaillait-elle ? Pour toi ?

— Nan, je touche pas à ça, moi...

— Eh bien, dis donc, le coupa Laberge, tu deviens un saint : tu ne consommes plus, tu ne touches pas non plus à la prostitution, tu philosophes sur la vie, c'est à se demander ce que tu fais encore à traîner avec tous ces voyous !

— Ce sont des amis.

— Bien sûr... OK, alors pour Manon ?

— Ben, je vous l'ai dit, elle avait quelques clients. Ça lui arrivait de se prostituer, mais pas souvent, seulement de temps en temps, quand elle avait besoin de fric. Elle s'arrangeait pour voir deux ou trois habitués quand ça faisait son affaire. C'était une drôle de fille, Manon. Elle gérait sa vie comme une petite entreprise.

Laberge s'arrêta une seconde sur ces quelques mots, qui la laissèrent songeuse.

— Mais même avec quelques clients, sa petite affaire, si elle était seulement occasionnelle, ne devait pas être suffisante pour se payer le train de vie qu'elle avait. Deux appartements, un mec à entretenir, les soirées et la drogue. Il faut toucher pas mal de sous pour vivre comme ça... Alors ? Où prenait-elle le reste de l'argent ?

— L'appartement sur Saint-Joseph servait à ses rencontres, mais elle le passait à des copines quand elles en avaient besoin pour des clients particuliers, des habitués, ou à d'autres filles qui, comme elle, faisaient ça *side line*, des étudiantes par exemple. Ces filles-là veulent pas recevoir un « monsieur » chez elles, dans leur milieu propret. Manon leur louait donc l'appart à l'heure. Vous pouvez pas savoir à quel point c'était payant, son affaire. Parce que des poules qui font ça comme petit boulot, ben il y en a pas mal. Il y en a même qui le font juste pour le *trip* : elles ont pas besoin d'argent, mais ça les excite de jouer à la pute ! Je vous l'ai dit, Manon était la reine de la magouille, elle avait toujours des trucs, comme elle disait. Je sais aussi que, parfois, elle participait à des expériences pharmaceutiques, vous savez ces trucs où ils demandent à des gens de tester des médicaments ? Ben elle faisait ça. Elle recrutait aussi pour des *pimps* et servait de « facteur » pour des livraisons de drogue. Mais ça, c'était plus rare, elle aimait pas ben ça. Elle trouvait que c'était dangereux. Il y a de l'argent à faire dans ce milieu quand on n'est pas peureux. Et Manon, ben, elle avait du *guts*. Elle avait drôlement changé depuis notre première rencontre ! La petite fille sage a vite compris comment ça fonctionne dans la vie si tu veux survivre. Elle savait saisir les occasions quand elles se présentaient !

— Parce que tu penses que faire sa vie veut dire prendre cette route ? J'en connais des plus faciles, tu sais, et des moins dangereuses. Elle est tout de même morte d'une *overdose*, je te rappelle, et gageons que ce n'est pas elle qui s'est plantée deux aiguilles dans le même bras. Je me demande si, avant de mourir, elle a eu une dernière pensée pour la jeune fille sage qu'elle avait été.

Laberge venait de faire mouche et, pour la première fois depuis qu'elle se trouvait devant Stanley Napier, elle perçut dans le regard noir du jeune homme une expression de regret, ou quelque chose de semblable.

Stanley alluma une cigarette, sa troisième.

— Je me demande même si elle a eu une pensée pour toi. Après tout, ce merveilleux monde dans lequel elle évoluait, c'est bien toi qui le lui as présenté !

Napier la regardait fixement. Malgré le côté crâneur de son adversaire, elle devinait qu'il n'était pas fier de lui en ce moment. Ses yeux étaient plus vitreux, comme lorsqu'on est sur le point de pleurer.

« J'espère que tu te sens un peu responsable de sa mort, mon bonhomme, pensa-t-elle, car même si tu ne lui as pas rentré les aiguilles dans le bras, tu lui as tout de même montré le chemin. »

— Une dernière chose, Napier, est-ce que tu savais qu'elle était enceinte ?

Cette fois, l'homme ne put retenir l'effet de surprise que produisait la nouvelle sur lui. À voir son visage et son expression, il n'était pas au courant. Laberge ressentit un certain plaisir, qu'elle étouffa aussitôt.

— Nous en avons terminé pour aujourd'hui. Tu peux partir, mais je te demande de ne pas quitter la ville.

Sans rien ajouter, Stanley ramassa son paquet de cigarettes et son briquet en or, se leva et se dirigea vers la sortie. Avant de passer la porte, il se retourna vers Jeanne Laberge pour un dernier mot.

— J'ai pas tué Manon, inspecteur. Croyez-moi, je suis bouleversé par sa mort, et encore plus maintenant que je sais qu'elle portait peut-être mon enfant. Oui, j'ai profité d'elle et de son argent, mais je lui ai jamais rien demandé; c'est elle qui se montrait généreuse envers moi. Elle se sentait toujours seule et plusieurs fois je l'ai trouvée en pleurs. Elle a toujours été malheureuse. C'est vrai que je l'ai entraînée dans cette vie de merde, et maintenant que j'y pense, j'en suis pas ben fier. Mais Manon avait besoin de personne pour faire ses expériences, elle aurait trouvé le chemin toute seule. C'était pas la petite fille sage que vous pensez. Cloutier n'était pas innocente quand je l'ai connue. Elle cherchait toujours à fuir la réalité, que ce soit en se *shootant* ou dans la baise. J'ai toujours pensé que l'*overdose* qu'elle a fait il y a quelques mois n'était pas un accident. Je sais pas si elle a essayé de mettre fin à ses jours, mais elle était dans une mauvaise passe depuis des semaines. Manon vivait sur la corde raide; il était normal qu'un jour elle tombe.

— Et c'est certain qu'elle ne pouvait pas compter sur toi pour l'aider à se relever!

— Personne pouvait l'aider, elle voulait pas. Demandez à sa mère!

L'ancien petit ami de Manon Cloutier passa la porte, tandis que Laberge fermait les yeux en poussant un soupir de lassitude. La dernière remarque de Napier n'était pas sans lui rappeler le commentaire du beau-père de la victime.

Nixon, qui avait assisté à la séance de l'extérieur, entra dans la pièce.

— Alors, tu en penses quoi, de ce type?

— C'est un beau profiteur! Je ne crois pas un instant à ses démonstrations de regret. La seule chose qu'il regrette en réalité, c'est qu'il vient de perdre sa poule aux œufs d'or.

— Il m'a pourtant semblé réellement touché en apprenant qu'elle était enceinte.

— Hmm, peut-être bien...

— Tu le rayes de la liste des suspects ?

— Non, pas tout de suite. Le mobile de la jalousie ne peut pas être complètement écarté en ce qui le concerne. Peut-être que Manon en avait marre de lui et qu'elle voulait le plaquer. J'imagine qu'un type comme ça, qui peut toucher du fric aussi facilement sans avoir à magouiller, ne supporte pas de se faire jeter comme un moins que rien... Non, nous allons continuer notre petite enquête à son sujet. Je veux connaître ses antécédents. J'aimerais bien savoir aussi ce que pensent de lui ses petites copines et quel genre de mec il est dans l'intimité. Pour l'instant, il demeure mon principal suspect... à défaut d'en avoir d'autres !

— OK ! Je me mets là-dessus.

— A-t-on les relevés bancaires de Manon ? Et sa liste d'appels téléphoniques ?

— Marc et Steven sont en train d'éplucher tout ça.

— Fort bien.

— Et pour Miguel A. Robert, on fait quoi ?

— Il nous faut un mandat pour perquisitionner chez lui. Peut-être y trouverons-nous des choses intéressantes. Je vais de ce pas trouver Levasseur. Du nouveau dans l'affaire Pasquali ? lança Laberge en sortant de son bureau avec son adjoint.

— Non, toujours rien. C'est comme si elle avait été renversée par une voiture fantôme, cette fille-là. Je n'ai jamais vu ça !

— Nixon, il faut trouver quelque chose, et vite. Nous repasserons le dossier point par point ainsi que les déclarations des témoins. C'est sûr qu'un élément nous échappe, quelque chose d'évident.

* * *

Laberge appuya son dos contre la porte de son bureau pour l'ouvrir, tout en tentant de ne pas renverser les deux cafés qu'elle venait de commander dans un restaurant à deux pas du poste, délaissant sans regret celui de la machine au bout du couloir. Nixon et elle allaient revoir pour la énième fois le dossier Pasquali. Son adjoint semblait de mauvaise humeur, et elle en comprenait les raisons. Depuis l'accident, ils faisaient du surplace dans cette affaire. Rien, pas même la plus petite piste ne se présentait et ils passaient des heures sur le même sujet au lieu de rentrer chez eux. Jeanne ne connaissait à Nixon aucune petite amie, et ce dernier ne lui parlait jamais de sa vie privée. À cause de cette manie qu'il avait de taire ses relations, elle se disait qu'il devait être homosexuel. Elle n'osait pas lui poser la question même si ça faisait presque huit ans qu'ils travaillaient ensemble, depuis les débuts de Laberge dans la police, en fait. Huit ans, c'était trop pour l'interroger maintenant sur son orientation sexuelle. Pourtant, ils en avaient passé des soirées et des nuits, seuls tous les deux, à traquer un suspect, à chercher le détail qui le conduirait à sa perte. Mais jamais James ne parlait de sa vie privée. Elle avait bien évidemment tenté de manière détournée de savoir s'il avait quelqu'un dans sa vie, par exemple lorsque Noël arrivait ou encore la Saint-Valentin, mais lorsqu'elle lui demandait avec le plus de naturel possible avec qui il passerait la soirée ou le week-end, il ne répondait jamais.

Jeanne comprenait que, dans le milieu dans lequel ils travaillaient, l'idée même d'être homosexuel, et de le dire, était impensable. Nous étions en 1975, et même si le monde renversait les conventions, bousculait les mentalités et jetait au feu les tabous, il n'en demeurait pas moins que la pensée individuelle ne suivait pas forcément le même rythme. Dans certains milieux comme le leur, les avancées se faisaient plutôt à pas de tortue.

Elle n'avait qu'à penser à sa propre expérience et au long travail qu'elle avait dû accomplir pour être acceptée en tant qu'inspecteur. Aujourd'hui encore, alors que ses compétences n'étaient plus à prouver, elle retrouvait chez certains vieux agents une froideur qui exprimait parfaitement leur pensée lorsqu'ils la voyaient occuper ses fonctions. Alors, si Nixon était homosexuel, c'était loin d'être gagné !

« Encore faut-il qu'il y ait quelque chose à gagner, songea-t-elle. Il ne l'est peut-être même pas, qu'est-ce que j'en sais ? »

Elle lui tendit l'un des gobelets.

— Un café noir, avec juste un sucre pour monsieur, dit-elle en souriant dans l'espoir de le motiver. Bon, je vais relire les déclarations et toi, le rapport de police, ajouta-t-elle en prenant place à son bureau.

Ensuite, nous nous attarderons sur les informations des experts.

Ils commencèrent à éplucher les rapports sur l'accident. Un profond silence régnait dans le bureau de Laberge. Seuls leur parvenaient les bruits de la rue et le son des frappes des machines à écrire des secrétaires qui travaillaient de l'autre côté de la cloison.

Une heure plus tard, les machines à écrire s'étaient tues et les secrétaires avaient quitté les lieux. Il était dix-sept heures vingt lorsque Laberge plissa le front en regardant sa montre.

— Merde ! Je ne vois absolument rien de mon côté.

Nixon fit une grimace en remettant de l'ordre dans les feuilles qu'il avait étalées devant lui.

— Idem. Ça fait je ne sais combien de fois que je lis ces rapports, j'ai l'impression de les connaître par cœur !

— Bon, on arrête pour ce soir. Demain matin, je passerai à l'hôpital voir comment va la petite Pasquali. J'en profiterai pour discuter un peu avec son médecin. Au moins, nous saurons comment évolue son état. Et puis, je meurs de faim, moi !

— Je t'invite à manger un morceau ? lança son adjoint en se levant.

Il s'étira pour déplier ses muscles ankylosés.

— Non, je te remercie, je rentre…

— Bien sûr, Richardson t'attend !

— Non, il n'est pas à la maison ; il a du boulot ce soir. Mais je suis fourbue, et je rêve d'un bon bain chaud. Et toi, personne ne t'attend ? demanda-t-elle le plus innocemment possible.

— Tu cherches encore à savoir si j'ai quelqu'un dans ma vie, Laberge ?

Elle le regarda de ses yeux verts.

— Ouais, c'est exactement ça ! Tu ne me parles jamais de ta vie privée. Pourtant, ça fait des années qu'on travaille ensemble. Je ne sais rien de toi, si tu as une copine…

Nixon enfila son veston.

— Je ne dis rien parce qu'il n'y a rien à dire ! énonça-t-il.

— Tu es en train de me signifier de me mêler de mes affaires, c'est ça ?

— Tu as tout compris. Je te parle de Richardson parce que je le connais et que je bosse parfois avec lui, et parce que toi, tu ne te prives pas de me parler de lui. Mais ça ne veut pas dire que je souhaite en faire autant. Alors, arrête de chercher, il n'y a rien à trouver !

— Okééé ! fit Jeanne en étirant le mot, très étonnée par la réponse un peu sèche de son collègue. C'est on ne peut plus clair, conclut-elle, alors que c'était la première fois qu'il lui parlait ainsi.

— Allez, salut, bonne soirée ! dit-il en la laissant en plan en plein milieu de la pièce.

Laberge regardait la direction qu'il venait de prendre, interdite.

— Eh ben, ça alors !!

Chapitre 8

Elle regardait devant, puis sur les côtés, mais elle ne discernait rien à cause de cet épais et sombre brouillard qui l'entourait. Elle était consciente de son état, mais elle était ailleurs, et ignorait où. L'endroit lui faisait penser à ces lieux irréels décrits dans les histoires d'horreur. Une impression étrange d'être entre deux mondes et de flotter l'envahissait. Malgré cela, elle n'avait pas peur. Elle se demandait seulement dans quel endroit elle se trouvait et, surtout, comment elle avait pu s'y retrouver.

Elle aurait aimé découvrir ce lieu, mais il lui était impossible de bouger : ses membres refusaient de lui obéir. D'ailleurs, elle ne voyait même pas son corps. Avait-elle encore un corps ? Peut-être n'était-elle plus qu'esprit.

Tout n'était pas toujours sombre. Parfois, une douce lumière tentait de percer la brume qui l'entourait. Elle semblait se promener, mais de quel côté exactement ? Et qu'était cette lueur ? Pourquoi n'était-elle pas constante ?

Elle éprouvait également des sensations, comme si on la touchait. Malgré ses tentatives pour apercevoir quelque chose, rien ne se précisait. Certains bruits, lointains, déformés, lui parvenaient, mais ils étaient impossibles à identifier. Par moments, d'autres impressions s'ajoutaient, comme celle d'être allongée, un appui sous son corps.

La lumière, qui, jusqu'alors, avait été intermittente et diffuse, était maintenant plus présente. Le brouillard se faisait un peu moins opaque, son esprit semblait même s'éveiller. Une douleur dispersée se faisait sentir, mais elle ne savait pas d'où elle provenait. Le mal était latent, inconfortable et indéfini. Il était là, sans pour autant la faire souffrir.

Tout à coup, une lumière plus vive traversa ses paupières, ce qui la surprit. Une décharge secoua son corps, comme si elle reprenait enfin conscience. Son esprit sortait de ce brouillard, qui se dissipait avec lenteur. Son corps se réveillait, elle le ressentait, prenant soudainement conscience de son propre poids sur le matelas. Le mal qui l'habitait était aussi plus présent.

Une chaleur se fit sentir sur sa peau, un contact. On la touchait. Qui ? C'était encore trop flou. On lui prenait le bras, une main se resserrait autour de son coude. Elle avait l'impression qu'on la tirait du néant dans lequel elle flottait depuis un temps inexistant et elle en éprouva de la tristesse. Elle était si bien là où elle se trouvait.

Lentement, ses yeux s'ouvrirent, avec difficulté. La lumière était douloureuse et elle ne saisissait pas ce qui se trouvait devant elle. Les images étaient floues. Elle captait mieux les sons qui l'entouraient, comme ce bruit d'une machine qui émettait un bip régulier. Une ombre se pencha sur elle. Tranquillement, elle distingua un visage.

— Oh, mon Dieu, vous êtes réveillée ! entendit-elle dans un écho. Mais vous ne le devez pas, il est trop tard pour vous...

Puis le visage disparut. Une vive douleur irradia son bras gauche. Son cœur se mit à s'emballer au point de lui déchirer la poitrine. Francesca voulut crier, mais rien ne sortit. Un étau se resserra sur son esprit, sur ce qu'elle avait été. Ce n'était plus le brouillard qui se refermait sur elle, mais la noirceur qui envahissait sa conscience.

Elle ne flottait plus.

Elle mourait.

* * *

Laberge informa la femme derrière le comptoir qu'elle avait rendez-vous avec le médecin de Francesca Pasquali. La réceptionniste à l'accueil lui indiqua où se trouvait le bureau du docteur Danielle Potvin.

— Troisième étage, à droite en sortant de l'ascenseur. Le Service de neurologie est clairement indiqué. Vous verrez, vous n'avez qu'à suivre les indications.

Après avoir sillonné les lieux pendant une dizaine de minutes et s'être trompée de côté à deux reprises, Jeanne arriva enfin au service où se trouvait le bureau du praticien. Elle ne comprenait pas pourquoi elle se perdait dans ce dédale de corridors chaque fois qu'elle mettait les pieds dans un hôpital. Exaspérée de tourner en rond depuis son arrivée dans l'établissement, elle s'adressa à une infirmière pour lui demander où elle pouvait trouver le docteur Danielle Potvin. Jeanne frappa deux coups francs à la porte avant que l'occupante ne l'invite à entrer.

— Bonjour, dit-elle en s'avançant. Je suis l'inspecteur Jeanne Laberge, des homicides. Nous avions rendez-vous, dit-elle en tendant une main à la femme qui venait de se lever pour l'accueillir.

— Oui, oui, je vous attendais. Entrez, je vous en prie. J'espère que vous ne m'en voulez pas d'avoir mis fin abruptement à notre conversation ; j'étais débordée au moment où vous m'avez téléphonée. Nous avons eu une urgence concernant justement madame Pasquali. Il y a de cela à peu près deux heures...

— Une urgence ? De quel genre ? Est-elle sortie de son coma ?

— Non, elle y est toujours. Mais elle a fait un infarctus.

— Une crise cardiaque ? Est-ce courant ? Je veux dire, elle est bien jeune, il me semble.

— Effectivement, ce n'est pas fréquent à cet âge, mais ça arrive. Je dois vous avouer que ça me surprend un peu puisque, malgré ses antécédents, sa condition s'était améliorée justement parce qu'elle est jeune. Comme vous le savez certainement, plus on est jeune, plus vite on récupère. La crise cardiaque peut avoir été causée par autre chose que l'état de santé actuel de mademoiselle Pasquali. Par exemple, la morphine. Nous allons lui faire passer une batterie de tests. Elle est d'ailleurs présentement en train de subir un électrocardiogramme. Je m'y rendais pour voir les résultats.

— Que voulez-vous dire par « ses antécédents » ?

— La patiente souffre depuis quelques années d'une ataxie spinocérébelleuse.

— En clair, c'est ?

— Une maladie dégénérative qui se traduit notamment par des pertes d'équilibre et des troubles de la démarche. Ces troubles sont causés par la dégénérescence du cervelet.

Laberge la regardait en ouvrant de grands yeux.

— Et ça évolue comment ?

— Le cervelet assure le maintien de la posture et la coordination. Cette maladie s'en prend tranquillement à la moelle épinière du patient et, au fil du temps, entrave la réception des messages nerveux. Ce qui veut dire qu'à la longue, les muscles ne répondront plus.

— Ciel, elle est si jeune ! ne put retenir Jeanne devant l'horrible constat.

— Oui, en effet. C'est d'ailleurs une maladie qui se développe dans l'enfance. Généralement, les parents s'aperçoivent que leur enfant ne marche pas droit et qu'il a des pertes d'équilibre. C'est lorsqu'ils viennent consulter que la maladie est diagnostiquée.

— Et quel est le traitement ?

— Au moment où je vous parle, il n'en existe pas encore. Malheureusement...

— C'est affreux... murmura Jeanne en plissant le front.

— Oui, comme toutes les maladies de ce genre, inspecteur. Mais nous devons travailler avec cette réalité.

Maintenant, veuillez m'excuser, je dois me rendre en cardiologie.

— Je peux vous accompagner? Après tout, j'enquête sur le crime dont Pasquali a été victime. Je venais voir comment elle allait.

La femme la regarda un instant avant de hocher la tête.

— Si vous voulez, mais vous ne pourrez pas entrer dans la salle d'examens. Vous devrez demeurer à l'extérieur jusqu'à ce que je vienne vous retrouver avec les résultats.

— Ça me va très bien.

* * *

Jeanne feuilletait un magazine à potins en attendant que le docteur Potvin revienne. Elle ne le lisait pas vraiment; elle était perdue dans ses pensées.

— Tiens, je vous reconnais, vous! Vous étiez ici il y a quelques jours, dit une voix qui s'approchait d'elle, et que Jeanne reconnut sans même relever la tête.

Elle n'avait pas oublié celle qui faisait du bénévolat et qui l'avait accusée de manquer de cœur envers sa défunte voisine, Henrielle Bilodeau.

— Vous accompagnez encore quelqu'un? demanda-t-elle en souriant.

Jeanne nota au passage que la bénévole lui avait dit « encore ».

— Je comprends à votre question que vous êtes informée du décès de madame Bilodeau?

— Oui, bien sûr. Je passe ici trois fois par semaine et je demande toujours des nouvelles des patients, en arrivant. J'avais rencontré à deux reprises cette charmante dame. Nous avions longuement discuté ensemble de la vie, tout en jouant aux cartes. Elle m'a parlé de ses enfants, et même de vous. Elle vous appréciait beaucoup, vous savez. Oh, mais je parle, je parle, j'oublie de vous demander de vos nouvelles. J'espère que vous ne vous trouvez pas ici pour vous-même, que vous n'avez pas de problème de santé. J'en serais bien désolée ; une femme telle que vous !

Pendant que la bénévole parlait, Laberge la regardait avec attention. Son visage affichait une grande sérénité qui rendait son teint laiteux, uniforme.

« Comme les religieuses et les curés qui ont une peau égale, sans imperfections, songea-t-elle. Comment cela se fait-il ?! Leur style de vie, peut-être... »

Rien ne dépassait dans son apparence : ni un cheveu de sa mise en plis trop parfaite, ni un fil de sa robe couleur prune qui n'était ni trop ajustée ni trop grande. Ses mains lactescentes, sans alliance, étaient très soignées : des ongles courts qui brillaient naturellement. La dame projetait l'image d'une nonne. Propre et sans artifice, presque insipide. Pas très grande, elle avait les cheveux bruns courts et le regard d'un bleu très pâle, presque translucide, qui semblait sonder votre âme.

« Elle doit avoir début cinquantaine, songea Jeanne, mais elle semble sans âge. Peut-être est-ce une religieuse, après tout, elle travaille auprès des malades, ce serait logique... »

— Non, je ne suis pas ici pour moi, finit-elle par répondre. Je vais très bien, merci. Je viens prendre des nouvelles d'une patiente.

— Quelqu'un qui vous est proche, je suppose ?

Son regard bleu se porta alors sur le petit écriteau de l'une des deux portes à côté desquelles Jeanne était assise et attendait.

— Hmm, en cardiologie... reprit la dame. Problèmes cardiaques, donc...

Laberge ne voulait pas rentrer dans les détails puisqu'elle était là pour son enquête et, en définitive, cela ne regardait en aucun cas cette femme. Elle se contenta d'opiner mollement de la tête.

— Et vous, madame Montembault, toujours à vous occuper des autres ? dit-elle afin de détourner la conversation.

— Oh, vous vous souvenez de mon nom ? Comme c'est aimable ! Les gens se souviennent rarement des noms lorsque les rencontres ne sont pas formelles, mais plutôt spontanées. Mais j'oublie que vous êtes inspecteur de police, et donc que vous avez certainement une excellente mémoire.

— Ah, vous savez ça ?

— Je vous ai vue quelques fois à la télévision, ajouta-t-elle tout sourire. Et puis, madame Bilodeau m'a parlé de vous et de ce que vous faites.

« Décidément, ça devient difficile de rester incognito. C'est excellent ça, pour un enquêteur !!! Gageons que Levasseur me le reprochera un de ces quatre ! »

— Pour répondre à votre question, oui, je poursuis toujours mes petites visites. Enfin, je fais ce que je peux pour aider. La vie est si fragile, vous savez : un rien et vous n'êtes plus. Mais que voulez-vous, c'est ainsi ! On n'y échappe pas, même si on essaie par tous les moyens ! Nous ne faisons que passer. La vie est un combat perdu d'avance.

— Eh bien, dites donc ! J'espère que ce n'est pas le discours que vous tenez aux gens que vous allez voir, ne put s'empêcher de répondre Laberge. C'est avec ça que vous les préparez à faire face à ce qui les attend ? Comme mots de réconfort, il y a mieux !

Madame Montembault pencha légèrement la tête comme si elle cherchait à comprendre quelque chose. Un demi-sourire se lisait sur son visage.

— Vous aurais-je blessée, ou aurais-je dit quelque chose qui vous a déplu pour que vous vous montriez un tantinet agressive à mon égard ?

Jeanne s'étonna de la perspicacité de la femme. Elle allait lui répondre lorsque le docteur Potvin passa les portes de la salle d'examen.

— Oh ! excusez-moi, lança-t-elle en stoppant net son élan.

Elle venait d'apercevoir la bénévole qui parlait à Laberge. Un silence gêné se glissa entre les trois femmes. Madame Montembault le rompit :

— Bon, je vais vous laisser. Je vois que vous devez discuter. Moi, je continue ma tournée. Nous reprendrons notre discussion une autre fois, dit-elle en tapotant l'avant-bras de Jeanne. J'espère que vous ne m'en tiendrez pas rigueur trop longtemps si je vous ai offensée ; ce n'était certainement pas intentionnel... Bonne journée, mesdames ! lança-t-elle à Jeanne et au docteur Potvin, qui la saluèrent d'un signe de tête.

Une fois qu'elle fut assez loin, Laberge posa ses questions au médecin.

— Alors, comment va-t-elle ?

— Je suis désolée si j'ai interrompu votre conversation, je ne voulais pas parler devant cette dame sans savoir si elle connaissait Francesca Pasquali.

— Vous avez bien fait. J'ai rencontré cette dame ici même, alors que j'accompagnais une amie. Elle est bénévole dans votre hôpital. Vous ne l'aviez jamais vue avant aujourd'hui ?

— Pour être franche avec vous, je ne vois que rarement les bénévoles qui viennent visiter les malades. On ne fait que les croiser, sans jamais vraiment échanger avec eux, par manque de temps, certainement.

Laberge nota dans le ton et la réponse du médecin son manque d'empathie pour ceux qui venaient donner de leur temps auprès de gens qu'ils ne connaissaient pas.

— Votre amie se porte-t-elle mieux ? demanda le docteur Potvin.

— Elle est décédée.

— J'en suis sincèrement désolée.

Jeanne la regarda tout en se demandant si elle l'était réellement. Une certaine froideur se dégageait d'elle. Les médecins voyaient des gens mourir tous les jours ; ils ne pouvaient pas être désolés pour tous ces morts, c'était impossible. Elle lui fit un signe de la main pour changer de conversation, ce que la femme comprit parfaitement.

— Alors, je viens d'avoir les résultats des examens de notre patiente. Il en ressort qu'elle n'a aucun problème cardiaque ni même d'antécédents sur ce plan. Son cœur n'a aucune malformation. J'avoue que le contraire aurait été surprenant vu son jeune âge, mais cela n'aurait pas non plus été exceptionnel si elle en avait eu. Ça arrive. Les problèmes cardiaques ne sont pas uniquement liés au vieillissement.

— Comment expliquez-vous la crise qu'elle a eue ?

— Pour être tout à fait franche avec vous, je ne l'explique pas encore. Mais nous pouvons croire que c'est lié à son état actuel, que c'en est une conséquence. Je demeure tout de même prudente, car d'autres facteurs peuvent provoquer un malaise cardiaque ; comme je vous l'ai dit, la morphine peut être un élément entre autres. Nous allons pousser plus loin les examens, mais nous écartons l'infarctus du myocarde. Elle avait déjà subi une série de tests en arrivant ici, à la suite de son accident. Nous avions déjà un bilan de santé assez complet. Bien entendu, aucun examen du cœur n'avait été effectué, puisque son problème ne résidait pas là. Nous devions avant tout voir si elle avait des lésions internes. Cela dit, j'ai demandé à ce que des analyses sanguines soient faites. Nous saurons bien assez vite ce qui s'est passé.

Au même moment, les portes s'ouvrirent pour laisser passer deux brancardiers qui poussaient le lit sur lequel la jeune accidentée était couchée.

— Ils la ramènent, les examens sont terminés. Venez, dit le docteur Potvin en invitant l'inspecteur à la suivre tandis qu'elle accompagnait les deux hommes.

Francesca Pasquali fut réinstallée dans sa chambre. Une infirmière était présente pour rebrancher les appareils qui permettaient de suivre l'état de la patiente. Danielle Potvin lui donnait des directives. L'infirmière quitta la chambre une fois son travail terminé.

— Si vous le désirez, je vous ferai parvenir le rapport d'analyses des prélèvements qui viennent d'être faits.

— Oui, je vous remercie, dit Laberge. Mais je voudrais savoir, avant que vous ne partiez, si vous avez des commentaires sur l'accident. Je sais que lorsque Francesca est arrivée aux urgences, c'est vous qui étiez en service. Avez-vous remarqué quelque chose ?

— Comme quoi ?

— Un détail quelconque, aussi anodin soit-il, en lien avec ses vêtements ou son corps ?

La femme prit un moment pour réfléchir et secoua lentement la tête.

— Non, je suis désolée. Je n'ai rien remarqué de particulier. On m'a déjà posé cette question, mais non, je ne vois rien. Lorsqu'elle est arrivée à l'hôpital, Francesca était en sang et pas mal amochée. Nous avons procédé immédiatement à une réanimation. On a découpé ses vêtements pour pouvoir la libérer rapidement et on les a remis aux policiers qui suivaient l'ambulance. C'est malheureusement tout ce que je peux vous dire sur ce sujet. Je ne peux guère vous aider, j'en suis navrée, termina-t-elle en fixant Laberge droit dans les yeux.

— Je vous remercie quand même.

L'inspecteur fit quelques pas pour s'approcher de la jeune accidentée qui semblait dormir profondément. Elle était plutôt ravissante, malgré les contusions et les ecchymoses qui marquaient encore son visage. Brune aux cheveux longs et le teint ambré, elle dégageait quelque chose de très féminin, même dans son état.

— Elle est jolie, dit Laberge en baissant le ton, comme si le fait de s'être approchée de Francesca risquait de la réveiller.

— Oui, elle est très séduisante, répondit le docteur Potvin en s'approchant à son tour. Tout comme vous, d'ailleurs.

Laberge souleva légèrement les sourcils : elle comprenait mieux maintenant les regards et la sollicitude du médecin envers elle.

— Je vous remercie, et je vous retourne le compliment, dit-elle enfin. Mais je pense que vous faites erreur…

Danielle releva légèrement la tête en scrutant le regard vert de l'inspecteur. Comprenant sans autre explication ce qu'elle insinuait, elle afficha un très charmant sourire, posa sa main sur l'avant-bras de Jeanne et dit :

— Je vous ferai parvenir le dossier sitôt que j'ai les résultats des examens… N'hésitez pas à communiquer avec moi si vous avez des questions. Je vous souhaite une agréable fin de soirée, inspecteur Laberge.

Tout en élégance, la femme quitta la chambre.

Jeanne demeura songeuse un moment, flattée même par l'intérêt que venait de lui montrer la femme médecin. Ce n'était pas la première fois qu'elle remarquait qu'elle plaisait à certaines femmes, peut-être à cause de son allure androgyne et du fait qu'elle était inspecteur.

Elle reporta son attention sur la patiente et l'observa tout en réfléchissant. C'est alors que son attention fut attirée par un détail. Elle se pencha pour mieux regarder l'intérieur du coude gauche de la jeune femme.

Incertaine, elle braqua la lumière de la lampe de chevet sur le bras : un X y était dessiné à l'encre bleue. Il était pâle, presque effacé à cause des prises de sang qu'elle venait de subir. Elle plissa le front avant de s'élancer vers le couloir.

— Docteur Potvin, s'écria-t-elle en voyant la femme discuter au bout du couloir avec une infirmière. Puis-je vous voir un instant ?

Danielle fit signe que oui et dit quelques mots à l'infirmière avant de revenir au chevet de Francesca.

— Regardez ceci ! l'enjoignit Laberge en désignant de son index l'intérieur du bras de la patiente.

— Qu'est-ce que c'est ? On dirait un tatouage ?

— Non, ce n'en est pas un. C'est une marque faite au crayon. Je pensais que vous auriez pu me dire ce que c'est.

— Non, je ne vois pas... Que voulez-vous que ça représente pour moi ? Je ne connais pas la patiente, je ne comprends pas le sens de votre question.

— Je cherche à comprendre d'où vient cette marque. Peut-être a-t-elle été faite par une infirmière, pour les prises de sang, je ne sais trop ?

— Mais non, voyons, dit le docteur Potvin en souriant. Nous ne faisons pas de dessins sur nos malades... à part en chirurgie ! D'ailleurs, je ne vois pas très bien ce que nous marquerions ainsi à l'intérieur d'un bras. Pour faire une prise de sang, l'infirmière n'a qu'à palper la veine.

Laberge avait déjà posé la question la dernière fois, mais elle voulait avoir une confirmation. Elle redevint méditative.

— Qu'y a-t-il au juste? À quoi pensez-vous? Pourquoi ce X vous préoccupe-t-il autant?

— J'ai vu cette même marque sur le bras de mon amie qui est décédée il y a quelques jours, confia Laberge.

— Tiens, c'est étrange… Mais il y a certainement une explication logique. Quel est le lien entre ces deux femmes, le savez-vous?

— Non, justement, et c'est bien ce que j'aimerais savoir… fit-elle en sortant son carnet pour retrouver le dessin qu'elle avait fait de la marque aperçue sur le bras d'Henrielle. Oui, c'était bien un X, dit-elle enfin en retrouvant le dessin. Qui a dessiné cette lettre sur deux patientes, et pour quelle raison?

— Nous pourrions demander à l'infirmière qui a fait les prises de sang, on ne sait jamais… Il y en a qui ont leurs habitudes.

Le docteur Potvin sortit de la chambre pour y revenir quelques minutes plus tard.

— Voilà, j'ai le nom de la responsable qui s'est occupée de Francesca. Elle est encore au centre de prélèvements.

Après que le médecin lui eut indiqué où était situé le centre de prélèvements, l'inspecteur alla trouver l'infirmière en question. La rencontre se fit en moins de deux minutes. Non, la femme n'avait pas dessiné quoi que ce soit sur le bras de la patiente, mais elle avait bien remarqué les traits alors qu'elle effectuait les prises de sang. Elle n'y avait pas vraiment prêté attention, étant donné qu'elle était débordée depuis le matin. Et puis, ce n'était qu'une marque de crayon. Jeanne lui montra le dessin en lui demandant s'il s'agissait bien du même motif, ce que la femme confirma.

— Un X, c'est un X. Il n'y a pas cinquante façons de le faire !

« Oui, et c'est bien ce qui m'agace ! S'il y avait eu une différence dans le dessin, ce serait moins inquiétant ! » songea Laberge en retournant auprès de la jeune accidentée.

* * *

Dans la chambre de Francesca Pasquali, Jeanne resta un long moment assise. Absorbée dans ses pensées, elle fixait le vide. La lumière de la chambre était tamisée et, dehors, le vent et le temps gris annonçaient les orages prévus en soirée.

Mais Laberge ne s'en souciait guère. L'esprit à cent mille lieues des humeurs de la nature, elle tentait d'établir des parallèles. Il y avait quelque chose d'étrange dans ces deux croix trouvées sur deux personnes que rien, à première vue, ne liait l'une à l'autre. Ce n'était pas ordinaire. Cela ne tenait certainement pas du hasard, elle en était persuadée. Elle devait entrer en contact avec les enfants d'Henrielle pour savoir si les deux femmes se connaissaient. Elle ferait de même avec les parents de la jeune patiente.

« Deux dessins identiques à l'encre… Si Henrielle et Francesca se connaissaient, quelle pourrait être la raison de cette marque ? Et si elles ne se connaissaient pas, pourquoi ces dessins ? Les avaient-elles avant leur arrivée à l'hôpital ? Si ce n'est pas le cas, c'est qu'ils ont été faits par quelqu'un… dans quel but ? En plus, Henrielle meurt d'une crise cardiaque et Francesca en fait une, mais s'en sort… »

Elle regarda l'heure à sa montre : il était passé dix-neuf heures, elle devait rentrer. Elle se leva et regarda attentivement la jeune femme plongée dans le coma.

— Quand allez-vous vous réveiller, Francesca ? demanda-t-elle dans un murmure.

L'inspecteur Laberge quitta la chambre pour gagner le stationnement de l'hôpital et retourner chez elle, rue Bernard. Lorsqu'elle monta dans sa voiture, l'orage éclata.

« Merde ! J'espère que Richardson a pensé à fermer les fenêtres avant de partir ce matin… »

* * *

Lorsqu'elle gara sa voiture devant chez elle et qu'elle éteignit ses phares, elle se retrouva plongée dans le noir. Le quartier au complet était privé d'électricité. Elle sortit en courant pour s'élancer jusqu'à sa porte. Bien qu'elle n'ait eu qu'à parcourir quelques pas, elle fut trempée jusqu'aux os.

— Bordel, c'est un vrai déluge !

Elle ouvrit la porte de l'immeuble et grimpa les quelques marches qui menaient à son appartement. Elle entra dans son logement, qu'elle trouva illuminé de bougies. Le couloir qui partait dans deux directions – à gauche vers la cuisine et le salon, à droite vers la chambre et le bureau – était éclairé de bougies sur toute sa longueur, ce qui la fit sourire. De toute évidence, son amoureux était rentré.

— David ? lança-t-elle en déposant son sac sur le guéridon.

— Je suis dans la chambre... entendit-elle.

Un demi-sourire se dessina sur ses lèvres. Elle enleva ses chaussures avant de se diriger là où se trouvait son amant. Elle le découvrit comme elle se l'était imaginé : nu, allongé dans leur lit, une bouteille de vin ouverte sur la table de chevet et une quinzaine de bougies éclairant la pièce avec chaleur.

— Je t'attendais, dit-il en se levant pour venir à sa rencontre. Je commençais à désespérer. Oh ! mais tu es trempée. Il faut que tu enlèves ces vêtements, ma chérie, lui murmura-t-il en déboutonnant sa blouse pour la laisser tomber au sol.

Il défit le bouton et la fermeture éclair du pantalon, qui alla rejoindre la chemise.

— Laisse-moi te sécher, ajouta-t-il en soufflant doucement sur son épaule.

L'expert en incendie commença à l'embrasser avec sensualité. Jeanne se laissa faire, fermant les yeux, savourant avec délice les caresses de son amoureux. Étendue sur le lit, les bras en croix, elle s'offrait à lui sans retenue, savourant l'instant et oubliant les heures qu'elle venait de passer. La pluie claquait contre les fenêtres, et la flamme des bougies vacillait doucement. Jeanne oubliait tout ce qu'elle connaissait. Elle s'étonna tout de même d'avoir une pensée pour Danielle Potvin au moment où Richardson la posséda. Sa jouissance en fut décuplée.

Chapitre 9

Dès son arrivée au bureau le lendemain matin, Jeanne se posta devant l'immense tableau où elle épinglait des photos et des notes dans un ordre qui lui était propre. Des flèches reliaient entre eux divers éléments d'un côté, et de l'autre, des colonnes comportaient des noms, des commentaires et des faits. Elle prit deux punaises et épingla ses modestes dessins représentant un X ou une croix. Comment savoir !

Elle mit le premier à côté de la photo de Francesca Pasquali, et l'autre dans le coin opposé où il n'y avait rien. Elle prit un papier sur lequel elle nota « Henrielle Bilodeau » et l'apposa à côté du second dessin. Au centre du babillard se trouvaient deux autres clichés : l'un présentait un gros plan des deux seringues plantées dans le bras de Manon Cloutier, tandis que l'autre affichait la tête de Charpentier couchée sur la table de la cuisine et entourée de nourriture.

— Je suis certaine qu'il y a un lien à propos des petites croix retrouvées sur Henrielle et Francesca. Qui a dessiné ce motif à l'intérieur de leur coude gauche et pourquoi ? Henrielle connaissait-elle Francesca ?

— Que marmonnes-tu ? lui demanda Nixon alors qu'il entrait dans la pièce.

— Ah, salut James ! Je réfléchissais à voix haute sur quelque chose qui me turlupine.

— Et toi, quand un détail te turlupine, c'est que c'est du sérieux ! Je t'écoute !

Jeanne lui renvoya un petit sourire complice. Depuis le temps qu'ils travaillaient ensemble, son collègue la connaissait plutôt bien.

— OK ! Comme tu le sais, je suis passée à l'hôpital, hier, afin de voir comment allait la jeune Pasquali. En arrivant sur place, j'ai appris qu'elle venait de faire un arrêt cardiaque, malaise que son médecin traitant ne s'explique pas vraiment d'après ce que j'ai compris. Bref, je te passe les détails. J'ai aussi découvert une marque sur son bras : figure-toi que ce même dessin se trouvait également sur le bras de ma voisine, Henrielle.

— Tu sais, des tatouages, ce n'est pas si rare que ça. Ce n'est pas réservé uniquement aux marins et aux détenus ! J'ai une cousine qui a une rose tatouée sur l'épaule ; elle trouve ça très *underground*. Qu'elles aient le même n'a rien de si incroyable, commenta Nixon d'un air dubitatif.

— Non, James, tu te trompes ! Ce n'est pas un tatouage, mais un dessin fait au crayon.

Tout en regardant son collègue, elle pointa du doigt l'un des dessins. Puis, se tournant vers le babillard, elle s'aperçut qu'elle désignait plutôt les photos de Manon Cloutier et d'Albert Charpentier. Son front se plissa. Elle s'approcha lentement des clichés. Adossée contre le mur, le regard éteint par la mort, Manon Cloutier tendait son bras à l'objectif: les deux seringues se croisaient et formaient un X. Ce même X était formé par deux frites qui ornaient le petit cercle dégagé à côté de la tête de l'informaticien.

— Merde alors! laissa tomber Laberge, complètement ahurie.

Elle devina que son adjoint s'approchait et qu'il regardait par-dessus son épaule pour voir ce qui semblait la troubler.

— Quoi? Qu'est-ce qu'il y a?

— Tu ne remarques rien sur ces photos? fit-elle en désignant d'un large geste l'ensemble des photographies épinglées sur le babillard.

Nixon s'approcha un peu plus pour observer attentivement chacun des clichés tout en cherchant à quoi faisait allusion sa supérieure.

— Franchement, non, je ne vois rien.

— Mais si, regarde bien, insista Laberge en montrant maintenant les deux photos.

L'homme s'exécuta et, pendant quelques secondes, les deux policiers ne dirent rien.

— Écoute Laberge, je ne vois pas...

Jeanne désigna de son index les deux seringues, puis les frites.

— Quel signe vois-tu?

— Euh... un X?

— Bingo! dit Jeanne en allant ouvrir le tiroir de son bureau pour en sortir la chemise contenant les détails de la mort de l'informaticien. J'ai bien fait de la garder tout près, dit-elle avec excitation.

— Ouais, j'avoue que la chose est assez singulière, mais ce n'est peut-être rien de plus qu'une simple coïncidence…

— Nixon, tu sais que je ne crois pas beaucoup aux coïncidences dans notre milieu… Il y a un lien entre ces histoires, j'en suis certaine.

— Tu vois un lien entre ces personnes à cause d'un simple X ? Mais tu te rends compte de ce que tu dis, Laberge ? Tu es en train de suggérer que ces quatre histoires sont liées à cause d'un banal symbole que l'on retrouve partout et qui peut certainement s'expliquer de plusieurs façons. Tu avances que ta voisine âgée de plus de soixante-dix ans aurait un rapport avec Manon Cloutier, retrouvée morte d'une surdose dans une ruelle, ainsi qu'avec cet obèse qui ne sortait jamais de chez lui et cette jeune femme de dix-neuf ans, étudiante en anthropologie et qui est dans le coma depuis des jours ? Tout ça à cause de deux croix tracées à l'encre bleue, de deux seringues et de deux frites qui se croisent ?

— Ouais, c'est exactement ça ! Je n'ai rien d'autre, mais j'ai le sentiment qu'il y a quelque chose…

— Pas certain que Levasseur va aimer !

— C'est pour cette raison, mon cher James, que nous allons vérifier si ces quatre personnes se connaissaient avant de lui en parler.

— Parce qu'on n'a pas déjà assez de boulot comme ça ?

— C'est une affaire de rien. Je m'occupe de voir auprès des enfants d'Henrielle et de Jocelyne Charpentier. Toi, tu te renseignes auprès des parents et des amis de Francesca, et tu interroges Napier. Si nous ne trouvons rien de ce côté, on laisse tomber cette histoire, ça te va ?

Nixon hésita une seconde, puis hocha la tête par à-coups.

— OK ! Je veux bien faire ça pour toi. Si tu as raison, ce dont je doute sérieusement, je t'offre un verre. Si tu as tort, tu me paies le resto !

Elle le regarda en souriant.

— Ça me va !

— C'est bon, à plus tard ! dit-il en sortant du bureau de Laberge.

Elle se retrouva seule devant son tableau, méditative. Elle décrocha le téléphone pour appeler la femme de l'informaticien et la fille aînée de son ex-voisine.

* * *

Vingt-quatre heures s'étaient écoulées depuis la visite de Laberge à l'hôpital Maisonneuve-Rosemont. La lassitude la gagnait devant les enquêtes stagnantes des affaires Pasquali et Cloutier. Levasseur venait de faire son apparition dans son bureau pour lui demander si les choses avançaient. Elle avait hésité à lui parler de ses découvertes. Mieux valait qu'elle ait du concret à lui présenter, surtout si elle revenait avec l'affaire Charpentier. Avec Levasseur, il fallait quelque chose de tangible, de palpable, même s'il répétait souvent à ses hommes de se fier à leur instinct. Il leur fallait se fier à leur intuition, certes, mais ils devaient également fournir des éléments concrets. C'était l'une des nombreuses contradictions de la personnalité de Levasseur. Donc, en attendant d'avoir un dossier plus solide, Laberge devait poursuivre ses recherches. Elles lui révéleraient probablement le lien entre les quatre affaires en cours.

Alors qu'elle discutait avec Levasseur, Laberge vit apparaître Nixon sur le pas de la porte de son bureau. Il venait les informer des finances de Manon Cloutier. Il leur apprit que la femme possédait deux comptes bancaires dans deux institutions financières différentes, l'un à son nom et l'autre sous un pseudonyme, le même qui apparaissait sur un second bail. Le compte à son nom ne contenait que quelques dollars ; c'était celui où la jeune femme déposait les prestations d'aide sociale qu'elle recevait chaque début de mois. L'autre, au nom de Sylvianne Nadeau, était plutôt bien garni.

— Je me demande pourquoi elle recevait de l'aide sociale et quel était son intérêt à ramasser une poignée de dollars alors qu'elle faisait en une semaine plus du double de ce qu'elle touchait en aide sociale en un mois, dit Laberge.

— Un fraudeur est un fraudeur, lança Levasseur. Pour quelqu'un qui gagne de l'argent illégalement, il n'y a pas de petites sommes. Tout est bon. Manon arnaquait les contribuables en amassant de l'argent dont elle n'avait pas besoin et elle donnait dans l'illégalité en vendant de la drogue, en se prostituant et en louant son petit appartement du boulevard Saint-Joseph. Ces gens-là sont sans foi ni loi. Ils prennent. Point à la ligne.

Laberge ne pouvait qu'admettre que son supérieur avait raison.

Nixon était persuadé que Cloutier avait été tuée à cause d'une affaire de drogue, avis que l'inspecteur-chef Levasseur semblait partager. Mais Laberge avait des doutes, à cause justement de la façon dont Manon était morte.

— Il faudrait être stupide pour marquer un meurtre avec deux seringues. Normalement, quand on tue quelqu'un, on cherche à le faire discrètement, et la discrétion est certainement ce que cherche un *dealer*.

— À moins que la manière de tuer ne serve d'avertissement, lança son supérieur.

— Nan, je vois mal son fournisseur lui planter deux aiguilles dans le bras parce qu'il cherche à s'en débarrasser. Il faudrait être stupide pour faire ça. Ça ne colle pas !

— Et pourtant, ce serait justement un bon moyen de fausser les pistes, ajouta Levasseur en avalant par petites gorgées son café trop chaud.

— Ben voyons ! Nous aurions affaire à un trafiquant rusé qui cherchait à se débarrasser d'une fille encombrante en la tuant... avec style ?! Ces deux seringues croisées n'ont rien d'habituel et ce n'est pas la façon de faire des revendeurs qui sont généralement plus expéditifs !

— Peut-être était-elle en train de se piquer quand l'assassin lui a enfoncé la deuxième aiguille dans le bras, proposa Nixon.

Laberge secoua la tête.

— C'est pas ça, j'en suis certaine...

— Allez interroger le gros Mig, ordonna Levasseur.

* * *

Miguel A. Robert était assis sur une chaise, se tenant les jambes si écartées que Laberge songea qu'il avait certainement de bonnes aptitudes pour faire le grand écart. Elle détestait les gens qui se tenaient dans cette position, ça manquait tellement d'élégance, de raffinement. C'était un relâchement qui semblait, à ses yeux, lié à un manque de courtoisie, à un je-m'en-foutisme bien placé pour celui qui se trouvait en face.

Ça faisait déjà une bonne heure que l'interrogatoire était commencé et rien de bon n'en ressortait. Miguel connaissait très bien Manon Cloutier et, oui, il lui fournissait ce dont elle avait besoin et, oui, ils avaient couché ensemble à quelques reprises et, oui, il arrivait que la femme vende de la *dope* pour lui, lorsqu'elle avait besoin d'argent. Rien que Laberge ne sache déjà.

— J'aimais bien Manon, c'était une fille plutôt *cool*. Mais elle était en amour avec l'autre. Dommage, parce que moi, j'aurais fait son bonheur.

— Tu l'aimais à quel point ?

L'homme regarda Laberge droit dans les yeux. Il cherchait à l'impressionner par cet air matador qu'il se donnait.

— Si vous voulez savoir si je l'ai tuée, je vais vous faire gagner du temps. Comme ça, je vais pouvoir sortir d'ici au plus vite. Non, j'ai pas tué Manon, j'en avais aucun intérêt. Je viens de vous dire que je la trouvais pas mal *cool*, pis elle me payait toujours, jamais de crédit, jamais de *niaisage*. Pourquoi je l'aurais tuée, tout allait très bien entre nous ?

— Je ne sais pas moi, à toi de me le dire.

— Ben, je vous le dis là, c'est pas moi… Pis si j'avais voulu la tuer, c'est pas de même que j'aurais fait, je suis pas stupide ! Je lui aurais donné de la merde qu'elle se serait *shootée* elle-même. Qui aurait pu dire de qui elle l'avait achetée ? Deux aiguilles, c'est débile comme truc ! C'est une méthode de débutant, ou de quelqu'un qui connaît pas ça !

Laberge pensait la même chose, mais elle n'allait certainement pas le dire.

— As-tu un alibi ?

— Ouais, j'en ai un. J'étais invité à un *party* chez un ami... Plein de gens peuvent témoigner de ma présence. Et vous savez quoi, j'ai rien à me reprocher par rapport à Manon.

— Que penses-tu de son copain ?

— C'est un con, un gars qui manque de nerf. Je sais pas ce qu'elle lui trouvait, mais il est pas ben ben impressionnant.

— Pourrait-il commettre un meurtre, selon toi ?

— Non, pas ce gars-là. Il manque de nerf, je vous l'ai dit. Ça, c'est le genre de gars qui profite des autres, dans le style parasite. Il s'accroche à quelqu'un, pis il le siphonne. Quand la personne a pu rien à lui donner, il passe à quelqu'un d'autre.

— Tu le penses incapable de faire du mal ?

— En tout cas, pas un meurtre ! Pis je dis pas ça pour le protéger ; pour moi, il vaut rien. Je dis ça parce que c'est vrai. C'est un trou de cul, ce gars-là ! Pour commettre un meurtre, il faut avoir du nerf.

— Penses-tu que Manon aurait pu être tuée par un autre *dealer* ? Tu disais tout à l'heure qu'il lui arrivait de vendre de la drogue. Tu n'étais peut être pas son seul fournisseur.

— Ouais, peut-être ben, mais j'en sais rien.

Laberge se retint de pousser un profond soupir de lassitude. Cette histoire tournait en rond.

— Dis-moi, est-ce que tu connais une certaine Francesca Pasquali, une amie de Manon ?

Le gars fit une drôle de grimace en secouant la tête.

— Non, ça me dit rien, ce nom-là ! Elle fait la pute ?

— Non, rien de ça.

— Alors je la connais pas. Je fréquente pas les p'tites filles sages !

Devinant qu'elle n'avait plus de questions, Miguel lui lança :

— Je peux partir maintenant ?

— Une dernière question. As-tu une petite idée de qui aurait pu tuer Manon ?

Le gars la regarda avec attention, un demi-sourire aux lèvres.

— Même si je savais qui c'était, je vous le dirais pas. Je suis pas un *stool*. Faites votre boulot, conclut-il en se levant. Terminé ?

Laberge opina de la tête, tandis que le gars sortait déjà de la pièce.

Elle se laissa choir sur sa chaise, évacuant le soupir qu'elle retenait depuis un moment.

— Et merde !

Levasseur, qui avait assisté à l'entretien de l'extérieur, entra dans la pièce en se grattant le fond de la tête, tandis que Jeanne allumait une cigarette.

— Eh bien, eh bien... on n'a pas appris grand-chose.

— Hmm… j'ai comme l'impression qu'on fait fausse route.

— Mouais, peut-être bien… Dis-moi, qu'est-ce que Francesca Pasquali vient faire dans cette histoire ? Que je sache, elle a été victime d'un accident. Elle s'est fait renverser par un chauffard dans un quartier relativement tranquille. La gamine est étudiante et semble assez sage… J'ai manqué quelque chose, Laberge ?

Jeanne fit une grimace en plissant le nez.

— Non, rien, je voulais juste voir s'il me disait la vérité. Le nom de Pasquali m'est venu en tête. En lui envoyant un nom qu'il n'est pas supposé connaître, je voulais simplement voir sa réaction…

L'inspecteur-chef la regarda fixement avant de répondre :

— C'est ça, prends-moi pour un con !

Il se dirigea vers la sortie.

— J'espère que tu ne perds pas ton temps avec des pistes qui ne mèneront nulle part. Je veux des résultats, et vite !

Chapitre 10

L'inspecteur Laberge avait donné rendez-vous à son adjoint pour casser la croûte dans un petit restaurant de l'avenue des Pins, et ça faisait déjà une bonne demi-heure qu'elle l'attendait. Elle lisait un article dans le *Montréal-Matin* sur la décision de la Ville de laisser tomber l'achat du bateau *Le France*, à cause de son coût très élevé. L'idée d'en faire un casino semblait trop onéreuse, une opinion que Jeanne partageait. Le débat occupait une place importante dans les journaux et on discutait fort de la nécessité d'avoir ce genre d'établissement dans la ville.

Son regard fut attiré par la porte du restaurant qui s'ouvrait sur son collègue.

— Salut Laberge !

— Nixon ! Comment vas-tu ?

— Bien. J'arrive de chez les parents de Francesca Pasquali, avec qui j'ai longuement discuté. Ils m'ont montré la chambre de leur fille ; c'est celle d'une jeune femme sage, studieuse et sans problème, si tu veux mon avis. Ils m'ont donné la permission de fouiller dans ses affaires et de lire son journal intime. Et tu sais quoi ? Eh bien, c'est vraiment une jeune femme sage, répéta-t-il afin de bien souligner ce qu'il pensait. Je n'ai absolument rien trouvé qui pourrait suggérer un lien quelconque avec Manon Cloutier. Ces deux femmes ne se sont même certainement jamais croisées, j'en suis certain. Elles vivent dans des mondes totalement opposés l'un de l'autre. J'ai également rencontré ses meilleures amies, et elles m'ont toutes confirmé que Francesca était une fille responsable, qu'elle se consacrait corps et âme à ses études, qu'elle n'avait jamais consommé de drogue et qu'elle était aussi sérieuse qu'honnête. Donc, rien de ce côté et même chose par rapport à Napier : il n'a jamais entendu les noms Pasquali, Bilodeau et Charpentier. Bref, je n'ai rien trouvé. Et tu sais quoi encore ? Je me doutais que je ferais chou blanc ! Et toi ?

Laberge affectait une moue boudeuse.

— Rien non plus. Les enfants d'Henrielle n'ont jamais entendu parler de Manon, ni de Francesca, ni d'Albert Charpentier. Ils ignorent quel pourrait être le lien entre leur mère et ces personnes. Comme toi, ils m'ont permis de fouiner dans ses affaires, mais je n'ai rien trouvé.

— Alors, on laisse tomber cette piste ?

La serveuse s'approcha d'eux.

— Vous êtes prêts à commander ?

— Je voudrais un hamburger et des frites, dit Laberge.

— Quelle cuisson ?

— Saignant. Et je veux aussi des rondelles d'oignons et un *cherry-coke*.

Nixon la regarda en ouvrant de grands yeux.

— Et vous ?

— La même chose, mais pas de rondelles !

La serveuse s'éloigna aussitôt vers la cuisine d'où ils l'entendirent crier la commande au cuisinier.

— Eh bien, tu as faim aujourd'hui ! Je pense que je ne t'ai jamais vue commander autant de choses. Habituellement, tu te contentes de la soupe du jour !

— Oui, je sais, mais j'ai l'estomac dans les talons.

— Alors ?

— Alors quoi ?

— On laisse tomber ?

— Non. Je sais que je t'avais dit qu'on oublierait ça si on ne trouvait rien, or, j'ai vraiment l'impression qu'il y a un lien. Mais nous ne regardons pas dans la bonne direction.

— OK ! Et tu veux qu'on regarde où, exactement ?

— Je ne sais pas encore.

Nixon poussa un profond soupir tout en regardant vers l'extérieur.

— Tu sais que j'appuie toujours tes idées, mais là, je ne te suis pas. C'est du vide, cette histoire !

— Je le sais, mais je me fie à mon intuition...

— Ton intuition !!! C'est un peu maigre !

— Je ne sais pas ce que tu as depuis quelque temps, mais j'ai l'impression de te tomber sur les nerfs !

— Une autre de tes intuitions, je suppose ? dit Nixon sans pouvoir retenir le ton sarcastique. Tu es parano, Laberge !

— OK, James, dis-moi ce que tu as à me dire, vas-y franchement.

Il la regarda attentivement ; son visage avait soudain l'air triste. Il se mordit l'intérieur de la joue.

— Je n'ai rien à te dire, Jeanne. Je fais mon boulot, c'est tout. Mais j'ai l'impression que tu ne sais pas où tu vas dans les affaires en cours et que tu cherches n'importe quelle connerie en désespoir de cause.

— Eh bien, dis donc, j'ai l'impression d'entendre Levasseur ! Ce n'est pas trop ton style, ce genre de remarque. Merci !

Au même moment, la serveuse revint avec les deux assiettes, qu'elle déposa devant eux.

— Je vous apporte vos boissons. Pour les rondelles d'oignons, ça ne sera pas bien long.

Les deux policiers se regardaient sans réagir, comme s'ils tentaient de voir dans les yeux l'un de l'autre ce qui allait se passer.

— Écoute, James, c'est vrai que je ne sais pas où chercher dans le cas de Pasquali ni dans celui de Cloutier. Toutes les pistes que nous avions tombent l'une après l'autre, et je t'avoue que je commence à désespérer. Je pense...

Laberge s'arrêta tandis que la serveuse arrivait avec le reste de la commande. Ils la remercièrent alors que la jeune femme s'éloignait déjà vers une autre table.

— La mort de Manon n'est pas accidentelle, ça ne fait aucun doute, mais je ne parviens pas à voir qui aurait pu la tuer, et encore moins pour quelle raison. Ce n'est pas logique, cette façon de l'avoir assassinée. Et, oui, l'affaire Francesca commence à être lourde, parce que nous n'avons toujours rien. Mais cette histoire de X me semble une bonne piste et, comme toute autre possibilité, nous ne pouvons pas l'écarter. Ce symbole revient dans les quatre cas: il me semble que ce n'est pas un vulgaire détail et que nous devons creuser dans cette direction.

Nixon opina de la tête en plantant ses dents dans son hamburger.

Laberge sortit une série de photos de sa poche qu'elle glissa sur la table, devant son adjoint.

— Regarde ces photos et dis-moi en toute franchise que tu ne vois pas là un lien.

Se retenant de rouler des yeux, le policier s'essuya les doigts avant de prendre les clichés qu'il commençait à connaître par cœur. Mais il se prêta tout de même au jeu de sa supérieure. La première était celle de Manon Cloutier avec des aiguilles dans le bras. La seconde montrait la jeune Francesca; Laberge avait dessiné un X directement sur la photo qu'elle avait obtenue des parents de la victime. La troisième photo représentait son ex-voisine. Laberge avait aussi dessiné un X sur le bras d'Henrielle. La dernière montrait Charpentier, tête première dans la nourriture. On voyait bien le rond et les deux frites qui se croisaient. Les yeux de Nixon balayaient les photographies.

— OK, j'avoue qu'il y a quelque chose de troublant... tu as raison, ça ne peut pas tenir de la simple coïncidence.

— Heureuse de te l'entendre dire, s'écria Laberge, soulagée que son adjoint en vienne enfin à la même conclusion qu'elle.

Nixon la dévisagea un instant. Il aimait le regard qu'elle avait quand elle savait qu'elle tenait une piste.

Ses yeux verts se mettaient à briller et son plaisir se mêlait à l'inquiétude.

— Levasseur ne va pas aimer mon histoire... tu comprends ce que ça sous-entend ? Si on retrouve le même signe sur différentes victimes, c'est que nous avons un tueur en série sur les bras...

— Merde !

— Tu m'enlèves le mot de la bouche, James !

— Tu as une idée ? lui demanda-t-il, soudain plus inquiet.

— Non, aucune.

* * *

L'inspecteur-chef regardait en silence les photos sur le babillard de son enquêteur qui venait tout juste de lui exposer ses découvertes. Ses yeux allaient d'un cliché à l'autre, puis se posaient sur les deux dessins de Laberge. Jeanne attendait son commentaire, assise à son bureau. Ça faisait quelques minutes que Levasseur gardait le silence.

— J'avoue que la coïncidence est, comme tu le dis, troublante. Mais que l'on se retrouve avec un tueur en série sur les bras me semble quelque peu présomptueux, dit-il en se retournant vers Laberge.

— Mais enfin, on trouve ce symbole sur quatre personnes et en peu de temps. Ce n'est pas anodin !

— Si la marque avait été la même pour les quatre personnes, c'est-à-dire une petite croix dessinée à l'encre bleue, je dirais oui. Mais l'une est faite avec des frites et l'autre avec des aiguilles, ce qui ne veut absolument pas dire qu'elles ont un lien avec les dessins. Pourquoi ces X n'ont-ils pas tous été tracés de la même manière? Les tueurs en série ont une technique qui leur est propre, une méthode, ils paraphent leur meurtre. Là, la signature n'est pas la même. Je ne vois rien de méthodique dans ces exemples.

— Mais ces symboles pourraient tout de même être une signature! Claude, laissez-moi mener cette enquête en me basant sur mon instinct. Je suis certaine qu'il y a là quelque chose.

L'homme la regarda un instant, tout en se passant lentement la main sur le menton. Le flair de son enquêteur avait souvent fait ses preuves, il n'y avait aucun doute.

— OK, je te laisse aller. Mais je veux que tu m'apportes rapidement des éléments plus concluants, dit-il en pointant le tableau de son index. Parce que là, tu n'as rien. Et l'affaire Pasquali n'a que trop duré, il me faut du concret.

Laberge fit signe que oui. Levasseur devait répéter cette dernière phrase cent fois par jour...

— Parfait.

L'inspecteur-chef quitta le bureau de son enquêteur sans un mot de plus. Laberge le suivit des yeux, tout en ayant l'esprit ailleurs.

« Bon, OK, je commence par où ? »

* * *

Elle avait convoqué une réunion dans son bureau avec son équipe composée de quatre agents en plus de James Nixon. Parmi eux, une jeune stagiaire avait été intégrée à son groupe; elle faisait ses classes en tant que futur enquêteur. La situation n'était pas pour déplaire à Jeanne, qui voyait enfin des femmes tenter leur chance dans le milieu de la police. Elles n'étaient pas légion, mais il fallait bien commencer quelque part, songea-t-elle en regardant la jeune débutante prendre place.

Laberge se lança aussitôt dans ses explications, présentant ses observations et ses doutes. La stagiaire prenait en note tout ce que l'inspecteur disait, ce qui semblait amuser ses collègues. Leurs clins d'œil entre eux n'échappèrent pas à Jeanne.

— Voilà, je vous ai exposé le peu de renseignements que nous avons, ainsi que mes soupçons. À nous maintenant de découvrir la trame de cette affaire. Nous devons établir le lien entre Albert Charpentier, programmeur informatique qui ne quittait pas son appartement à cause de son obésité, marié et désireux de fonder une famille ; Manon Cloutier, droguée et baignant dans l'illégalité ; Francesca Pasquali, jeune fille sage, étudiante en anthropologie, et Henrielle Bilodeau, retraitée, veuve rangée, sans antécédents et mère de trois enfants. Ont-ils un rapport ? Se connaissaient-ils ? C'est à voir.

Laberge fit une pause pour mieux placer ses idées. Elle reprit :

— Nous avons appris par les amis et la famille de Francesca Pasquali et par les enfants de madame Bilodeau qu'elles ne se connaissaient pas et qu'elles n'avaient aucune relation avec Manon Cloutier. Mais nous savons aussi que la famille et les amis ne sont pas toujours au courant de tout : nous avons tous nos petits secrets, nous ne pouvons donc pas nous en tenir à ces affirmations. Il faut éplucher la vie de ces gens et trouver ce qui les relie.

Comme tout assassinat perpétré par un criminel, il y a une raison, un élément déclencheur. Lorsqu'il s'agit d'une série de meurtres exécutés par la même personne, il existe forcément un lien entre les victimes et un *modus operandi*, une logique qui vient s'inscrire dans celle du tueur. C'est ce que nous cherchons. En établissant le lien entre les quatre victimes, nous identifierons la personne qui se trouve derrière ces meurtres.

— Et s'il n'y a aucun lien ? demanda l'un des agents. Si nous faisons fausse route ? Car l'élément qui semble les relier pour le moment est plutôt mince.

— Oui, tu as parfaitement raison, mais je me fie à mon intuition. Nous n'avons rien en réalité pour affirmer qu'il s'agit bien de quatre crimes réalisés par une seule et même personne. Nous ne savons même pas si nous pouvons parler de crimes. Mais le X ou la croix est tout de même présent dans chacune des scènes. C'est un détail que nous ne pouvons pas négliger.

Laberge fit une pause avant d'ajouter, en s'adressant directement à celui qui venait de parler :

— Es-tu prêt à laisser tomber cette éventualité en sachant que cet indice est faible mais commun aux victimes ? Souhaites-tu courir ce risque ?

L'agent, assez jeune, répondit par une grimace.

— Non, bien évidemment, ajouta-t-il.

— Voilà ! C'est pour cette raison que nous allons mener notre enquête dans cette direction. Et crois-moi, j'espère sincèrement me tromper. J'espère vraiment que tout ceci ne repose que sur une simple coïncidence. Allez, tout le monde au boulot !

Chapitre 11

Richardson s'approcha de Jeanne alors qu'elle dormait encore. Il la regarda un moment.

— Que tu es belle ! murmura-t-il en déposant doucement un baiser sur son épaule dénudée. Fais-moi penser un jour de te demander de devenir ma femme…

Sans faire de bruit, il quitta l'appartement endormi. Il enfila son casque de moto et remonta la fermeture éclair de son manteau de cuir. Le temps était maussade, un peu comme lui. Il aurait aimé passer son samedi au lit avec Jeanne, mais il devait se rendre au bureau où le travail l'attendait. Le brouillard couvrait la ville et, pendant un instant, il se demanda s'il n'allait pas prendre la voiture de Laberge. Il enfourcha sa vieille Triumph Thunderbird avant de lancer le moteur.

La sonnerie du téléphone réveilla Jeanne. Elle regarda l'heure à sa montre avant de décrocher : neuf heures trente-cinq.

— Bonjour. Je suis navré de téléphoner si tôt, mais pourrais-je parler à madame Laberge, je vous prie ?

— Elle-même !

— Ah, bonjour, inspecteur. Ghanem Benaissa à l'appareil. Je suis médecin à l'hôpital Maisonneuve-Rosemont.

— Oui, oui, je me souviens de vous. Que me vaut votre appel... si matinal ?

— Oui, pardon, je suis sincèrement navré de vous appeler à cette heure. J'espère que je ne vous réveille pas... J'aimerais vous voir, vous parler en privé, si cela est possible pour vous, bien entendu.

— Euh, oui, bien sûr. Je peux passer vous voir à l'hôpital, en début de semaine prochaine...

— Oh, je pense que je me suis mal exprimé. Je souhaite vous rencontrer en dehors des murs de l'hôpital. Je dois vous voir seule, et le plus tôt sera le mieux.

Jeanne se frotta l'œil droit tout en s'asseyant dans son lit. Son esprit émergeait de la brume. Que pouvait bien lui vouloir cet homme qu'elle n'avait rencontré qu'une seule fois ?

— D'accord, si vous y tenez. Nous pourrions nous voir au *Café des Matinaux*, rue Laurier, dans une heure. Ça vous va ?

— C'est parfait, je vous y attendrai.

* * *

Lorsqu'elle poussa la porte du petit restaurant branché, elle s'en voulut d'avoir donné rendez-vous au médecin dans cet endroit toujours bondé. Une file d'attente grossissait à l'extérieur et elle avait été arrêtée par un jeune garçon aux allures androgynes qui s'était braqué devant elle.

— Pardon, mais vous devez faire la queue, avait-il dit avec irritation, las certainement de répéter cette rengaine à chaque personne qui tentait de passer en catimini.

— Je veux juste voir si la personne avec qui j'ai rendez-vous est arrivée. Je ressors tout de suite si ce n'est pas le cas, je vous le promets !

L'endroit n'était pas très grand, et toutes les tables étaient occupées. Elle découvrit le médecin au bout de la salle, assis devant un thé, en train de lire un livre.

« *Tendre est la nuit* de Scott Fitzgerald... Un nostalgique ! » se dit Laberge en approchant.

— Monsieur Benaissa, je suis navrée de vous avoir donné rendez-vous ici. J'avais oublié à quel point l'endroit est achalandé le week-end.

— Ne vous en faites pas, je connais les lieux. Je suis parti presque aussitôt notre conversation terminée pour être certain d'avoir une table à votre arrivée. Sinon, nous aurions fait le pied de grue comme eux, dit-il en désignant le troupeau qui se trouvait à la porte.

— Je vous remercie de cette attention, c'est délicat de votre part.

— Oh, vous savez, je suis un dinosaure avec mes manières dépassées. Aujourd'hui, on ne se donne plus cette peine, et pourtant...

— Puis-je vous conseiller de ne rien changer ? Si tout le monde avait votre délicatesse, nous nous en porterions bien mieux, croyez-moi. Souhaitez-vous que nous allions discuter ailleurs ?

— Ailleurs ou ici, ce sera pareil; nous sommes samedi ! Et puis, entre nous, le bruit des conversations couvrira nos paroles. C'est très bien ainsi. Les restaurants bondés sont les meilleurs endroits pour les rencontres que l'on souhaite discrètes. Mais asseyez-vous, je vous en prie, dit-il en désignant la chaise en face de lui.

Au même moment, une jeune Asiatique aux cheveux très courts déposa un menu devant Jeanne, qui eut tout juste le temps de lui commander un café. Une tasse fumante fut déposée devant elle avant même qu'elle n'ait eu l'occasion de jeter un œil au menu.

Le docteur Benaissa et elle commencèrent par échanger quelques paroles aimables et parlèrent ensuite de leur travail respectif. Il félicita Jeanne pour ce qu'elle était devenue, admirant au passage la volonté de la femme qui se trouvait devant lui. De son côté, Jeanne devinait que le médecin souhaitait demeurer discret sur sa propre vie, car il évitait avec habileté de répondre à certaines de ses questions.

— Alors, docteur Benaissa, pour quelle raison souhaitiez-vous me rencontrer en ce samedi matin plutôt maussade ? dit-elle en jetant un regard par la fenêtre.

Le brouillard s'était dissipé, mais le temps était couvert ; l'automne prenait définitivement place. Dehors, le vert des plantes avait perdu son éclat, et les jupes des femmes rallongeaient.

— Oui, bien sûr, il est temps d'aborder la question, vous avez raison. Mais avant de commencer, j'aimerais que vous m'appeliez Ghanem. J'en serais très honoré, si la chose ne vous déplaît pas.

— Très bien, répondit Laberge, en souriant devant le ton courtois de son interlocuteur. Mais seulement si vous m'appelez Jeanne à votre tour.

— J'en serais enchanté.

— Alors, dites-moi, Ghanem, quelle est la raison de cette invitation ?

— Nous devons tous, un jour ou l'autre, nous expliquer, n'est-ce pas ? Eh bien, voilà ! J'avais tout bonnement besoin de me confier à quelqu'un.

Laberge eut l'air un peu surprise, ce qui fit sourire le Maghrébin.

— Voyez-vous, poursuivit-il, je ne connais pas beaucoup de monde et je ne suis pas très conciliant en vieillissant. J'ai mes manies, mes habitudes et la solitude m'aime beaucoup. J'ai quelques amis, bien sûr, je ne vis pas totalement en ermite. Mais vous savez que nous n'avons pas toujours envie de nous confier à ceux qui nous connaissent, sans doute parce que l'on ne tient pas à être jugé. J'avais besoin d'une écoute extérieure et, surtout, d'un avis comme le vôtre. Je parle d'un avis professionnel, celui de l'inspecteur.

Jeanne écoutait Benaissa très attentivement. Elle sentait que cette rencontre n'aurait rien de banal, comme si le simple fait que cet homme l'invite à prendre un café un samedi matin était en soi quelque chose d'unique. Le médecin, avec ses manières sophistiquées rappelant celles de ces riches familles qui tentent d'inculquer aux enfants une façon de vivre totalement dépassée, la séduisait.

— Nous ne nous sommes vus qu'une seule fois lorsque votre amie, madame Bilodeau, est décédée. Et je dois avouer que vous m'avez alors fait une excellente impression.

— Êtes-vous prêts à commander ? lança la serveuse en se postant devant eux, son crayon et son carnet à la main.

Afin de régler au plus vite cette affaire de repas, ils firent part de leur choix à la jeune Asiatique, qui repartit aussitôt.

— Poursuivez, je vous en prie, dit Jeanne en souriant.

— Oui, alors, je disais que lorsque je vous ai vue, j'ai senti que je pouvais me confier à vous. Votre expérience vous permettrait certainement de répondre à mes questions.

— Je ferai de mon mieux.

— Comment vous dire cela, Jeanne... et par où commencer ? J'ai longuement réfléchi à notre rencontre et à ce que j'allais vous dire, mais surtout à la façon dont j'allais vous relater les choses. J'en suis venu à la conclusion que le plus simple était d'y aller directement. Je me lance donc, et j'espère ne pas vous peiner en vous parlant d'Henrielle Bilodeau.

— Allez-y, je vous écoute... murmura Jeanne, soudainement intriguée par ce qu'il avait à lui dire.

Il la regarda un instant, encore hésitant. Laberge comprit en plongeant son regard dans les yeux couleur nuit de l'homme que la suite ne lui était pas facile à exprimer. Il jouait nerveusement avec sa petite cuillère, qu'il faisait tourner entre ses doigts telle une majorette avec sa baguette.

— Lorsqu'on m'a appelé en urgence dans la chambre de votre amie parce qu'elle faisait un arrêt cardiaque, je me suis présenté, évidemment, le plus rapidement possible. Les secondes étaient comptées, vous vous en doutez. Nous avons tenté de la sauver en effectuant les manœuvres de réanimation, mais c'était trop tard. Votre amie est morte sans que nous puissions rien y faire. J'en étais à constater le décès et à signer l'acte, lorsque j'ai remarqué quelque chose qui, sur le moment, ne révéla rien de particulier, mais qui capta à tel point mon attention que je l'ai gardé en mémoire tout le reste de la matinée. Ce n'est que lorsque je suis rentré chez moi plus tard que ce fameux détail s'est révélé à moi. J'avais une impression de déjà-vu, mais je ne parvenais pas à me rappeler où. J'avais passé la matinée à chercher, quand soudain le déclic s'est fait.

Le médecin s'arrêta de parler à l'approche de la jeune serveuse, qui déposa devant lui des œufs bénédictine, et des crêpes couvertes de fruits frais surmontés d'une torsade de crème fouettée devant Jeanne. Ils la remercièrent et l'homme attendit qu'elle se soit éloignée avant de poursuivre.

— Allez-y, je vous en prie… Bon appétit, Jeanne !

— À vous aussi, Ghanem.

— Je continue pendant que vous mangez, si ça ne vous dérange pas ?

— Non, non, bien sûr, j'allais vous le proposer.

— Donc, ce que j'avais vu me taraudait depuis…

— Attendez, vous ne m'avez pas dit de quel détail il s'agit exactement.

— Oui, bien sûr, que je suis bête… Je parle de cette petite croix que madame Bilodeau avait à l'intérieur du bras.

Jeanne suspendit son geste.

— Une croix ? lui demanda-t-elle pour l'encourager dans ses explications.

— Évidemment, cela n'a rien de bien extraordinaire, me direz-vous, et je n'y aurais certainement pas prêté attention si je n'avais pas eu cette impression de déjà-vu.

— Vous aviez déjà vu une croix semblable auparavant ? À l'hôpital ?

— Exactement ! Je ne savais pas où au début, mais la lumière s'est faite en rentrant chez moi, comme je vous l'ai dit. J'avais raison de penser que je reconnaissais ce symbole. En fait, ça ne remontait qu'à quelques jours, je dirais une semaine ou deux. Il faudrait que je vérifie. J'avais déjà vu ce même dessin ailleurs, sur Brigitte plus précisément.

— Qui est Brigitte ?

— Qui était-elle, devriez-vous me demander, car elle est morte, elle aussi. Comme votre amie.

L'homme décida de manger ses œufs sur ces derniers mots. Il souhaitait, et Jeanne le devinait, qu'elle comprenne bien que, derrière ce « elle aussi », il y avait autre chose, et que tout commençait là. Que cet appel matinal pour l'inviter à déjeuner en était la suite logique. Jeanne regardait Benaissa manger avec élégance, sans se presser et avec toute la retenue d'une éducation ancienne. « Un être plein de distinction, se dit-elle, comme il ne s'en fait plus. »

— Pourquoi ce « elle aussi », Ghanem ?

Il reposa sa fourchette et s'essuya la bouche avant de prendre une gorgée de son thé.

— Je vais vous confier quelque chose, Jeanne, et c'est la raison pour laquelle je vous ai demandé de venir ce matin. Je pense que Brigitte et madame Bilodeau ne sont pas mortes, disons, naturellement.

Cette fois, Laberge se redressa et fixa avec une grande attention l'homme qui se trouvait en face d'elle.

Son intuition avait été juste, elle en avait maintenant la certitude. Ghanem Benaissa venait de lui confirmer ce dont elle se doutait depuis quelques jours. Et une nouvelle victime s'ajoutait à la liste.

« Combien y en a-t-il au juste ? » se demanda-t-elle, soudainement très inquiète. Mais elle devait traiter l'information avec méthode.

— Qu'entendez-vous par « elles ne sont pas mortes naturellement » ?

— Brigitte était une prématurée de trente et une semaines. Malgré son état de santé précaire, elle avait ce qu'il fallait pour vivre et se développer normalement. Elle avait une légère bradycardie, mais rien d'alarmant. De plus, et ça, je ne peux pas vous l'expliquer, on sentait bien qu'elle voulait vivre. Ça se voyait. Pourtant, une nuit, elle s'est éteinte. Tout comme votre amie qui se portait à merveille. Ces deux êtres sont soudainement morts au petit matin. Vous-même étiez étonnée de la mort d'Henrielle alors que vous l'aviez vue la veille et qu'elle vous avait semblée en pleine forme.

— Oui, bien sûr ! Et je ne doute pas de votre parole, car, après tout, vous êtes médecin. Mais j'ai besoin d'explications plus tangibles, parce que des morts subites, c'est fréquent. Ce n'est pas à vous que je vais l'apprendre. Si Brigitte et Henrielle ne sont pas mortes naturellement, de quoi sont-elles décédées ?

Jeanne était pressée de voir Ghanem aller au bout de son idée. Il lui fallait des réponses concrètes et logiques pour prétendre à un meurtre.

— Selon les deux rapports officiels, Brigitte est morte d'une insuffisance cardiorespiratoire, ce qui n'est pas rare chez les prématurés, et madame Bilodeau, d'une rupture du myocarde.

— Mais il y a un « mais », c'est ça ? Vous doutez ?

— Oui. Et mes doutes reposent sur certains détails que je ne m'explique pas et qui découlent de l'interprétation médicale qu'on y a apportée. Je vous explique : lorsque Brigitte est décédée, j'étais de garde. C'est moi qui lui ai donné les premiers soins, avant que l'équipe de réanimation arrive. Le tout s'est fait très rapidement et dans les règles. Malheureusement, nous n'avons rien pu faire malgré nos compétences, comme pour madame Bilodeau. En réalité, lorsque je suis arrivé, Brigitte était déjà inanimée. Lorsque le décès a été officiellement constaté, j'ai remarqué que la prise de courant de la machine aidant le bébé à vivre était à moitié sortie de sa fiche, ce qui a entravé le bon fonctionnement de l'appareil, causant ainsi la mort de l'enfant. L'irrégularité de son fonctionnement a provoqué son décès.

— Alors sa mort s'explique.

— J'étais passé dans la chambre un peu plus d'une heure avant pour voir si tout allait bien. J'avais aussi vérifié si les appareils étaient parfaitement branchés. C'est une marotte que j'ai.

— Et la prise était à sa place…

— Exactement ! N'oubliez pas que nous étions en pleine nuit. À part les deux infirmières de service, normalement, il n'y avait personne d'autre dans le département.

— Mais quelqu'un est entré dans la chambre de la petite, c'est ce que vous croyez ?

— Oui.

Laberge se pencha pour ramasser son sac qui se trouvait à ses pieds.

— Ça vous dérange si je prends quelques notes ? C'est de cette façon que je comprends les choses : lorsque je les écris.

— Non, faites, je vous en prie. Voyez-vous, c'est comme si quelqu'un avait sorti à demi la fiche pour laisser croire qu'elle était en place afin que l'on conclue à un problème technique.

— Pour quelle raison aurait-on voulu tuer cette enfant qui venait tout juste de naître ?

— Je l'ignore, mais il y a quelque chose qui cloche dans cette mort.

— Très bien, poursuivons, je vous prie. Pour Henrielle, quels sont vos doutes ?

— Tout comme Brigitte, je l'ai vue peu de temps avant son décès pendant ma tournée. Et, croyez-moi, elle était en pleine forme. J'avais pris sa tension artérielle, qui était parfaite. Son médecin était prêt à signer son autorisation de quitter l'hôpital.

— OK, mais…

— Vous doutez ? Je ne peux pas vous en vouloir. Au début, je pensais moi aussi que je me faisais des idées, que tout ceci avait une explication logique ou que j'étais tout simplement fatigué. Mais lorsque j'ai vu cette croix, j'ai eu des soupçons. C'est ce détail qui me porte à croire que votre amie n'est pas morte de façon naturelle. C'était le même symbole que celui qui se trouvait sur le petit bras de Brigitte. Et nous pouvons, je crois, écarter l'idée du tatouage quand on parle d'un bébé prématuré !

Il n'y avait plus de doute possible. Il ne s'agissait plus de coïncidences. Les idées de Jeanne se bousculaient. Elle avait besoin de réfléchir.

— Je n'ai pas terminé, lui dit le médecin, comme s'il lisait dans ses pensées.

— Ah non ?

— Je vous ai vue cette semaine à l'hôpital. Vous étiez en compagnie du docteur Danielle Potvin. Je serais allé vous saluer, mais j'avais terminé mon quart de travail depuis longtemps et je voulais rentrer chez moi ; j'étais épuisé. De toute façon, je ne voulais pas vous parler de tout ça à l'hôpital. C'était hors de question. Impensable. Mais le lendemain, je me suis renseigné discrètement : je voulais savoir pourquoi vous étiez là. J'ai parlé à l'infirmière qui était présente au moment de votre passage. Il lui a fallu peu de temps pour qu'elle me dise la raison de votre présence, soit l'accident de cette jeune femme dans le coma. Elle m'a aussi parlé de votre enquête et surtout de cette découverte que vous avez faite sur la patiente : un X à l'intérieur de son bras. Comprenez-vous maintenant les raisons qui m'ont poussé à vous inviter à déjeuner ? Je pense, Jeanne, qu'il se passe des choses pas très nettes à l'hôpital.

— Pas très nettes ? Précisez votre pensée.

L'homme regarda autour de lui ; il semblait plus nerveux.

— Je pense que la présence de ces petits dessins qui apparaissent comme par magie sur le bras des patients n'est pas une coïncidence. Je pense également qu'elles ne se sont pas dessinées toutes seules, ces croix, mais qu'elles ont été tracées par une seule et même personne, dit le médecin avant de marquer une pause. Et pour terminer, je soupçonne que ces patientes ne sont pas mortes de ce que l'on croit et que si nous poussions plus loin les autopsies, nous découvririons de drôles de vérités.

— Vous pensez qu'elles ont été tuées ?

Benaissa fronça les sourcils et l'observa pendant un instant comme s'il soupesait la question.

— Je ne sais pas, l'idée me semble si grave... Il y a peut-être une raison fort simple pour expliquer la présence de ces marques, mais je m'interroge. C'est à vous maintenant d'aller plus loin, Jeanne. Je ne prétends rien ; je vous expose mes doutes, je me confie. À vous d'en tirer des conclusions. C'est vous, l'inspecteur !

* * *

Lorsque Jeanne quitta le petit restaurant avec Ghanem, il insista pour la raccompagner sous son parapluie jusqu'à sa voiture. L'orage avait éclaté et la pluie tombait en trombes. Laberge ouvrit sa portière, tandis que le médecin la saluait d'un léger mouvement du torse.

— Merci pour cette rencontre, Jeanne. J'ai beaucoup apprécié votre écoute. On sent que vous ne jugez pas les gens, et ça, ça me plaît. J'espère que vous ne m'avez pas pris pour un vieux fou avec mes histoires de morts suspectes. Je vous ai dit, très honnêtement, ce que je pensais. À vous de vérifier si je me fourvoie complètement.

— Ghanem, j'ai vraiment aimé notre déjeuner et vous avez eu une excellente idée de me proposer cette rencontre. J'apprécie la confiance que vous m'accordez et je vais mener ma petite enquête, vous pouvez en être sûr. Et très sincèrement, j'espère que vous vous trompez et que tout ceci n'est qu'un incroyable enchevêtrement de coïncidences qu'une explication simple viendra éclaircir.

L'homme posa sa main sur celle de l'inspecteur.

— J'espère moi aussi me tromper, croyez-moi... Je serais ravi d'admettre que j'ai eu tort et que l'âge me joue parfois des tours. Mais, voyez-vous, Jeanne, je viens d'un pays qui a connu la guerre et j'ai vu tant d'horreurs là-bas que rien ne me surprend plus dans le genre humain... malheureusement.

Jeanne prit place dans sa voiture. À travers son pare-brise, elle regarda la silhouette du médecin, déformée par la pluie, s'éloigner rapidement. L'homme lui laissait une impression de franchise, mais aussi de profonde tristesse.

Elle plissa le front en repensant à leur conversation. Ça faisait un moment déjà qu'elle ne croyait plus aux coïncidences. En fait, depuis l'affaire de la Vieille Demoiselle, elle ne se fiait plus qu'à son instinct, et celui-ci lui soufflait que le docteur Benaissa était tout à fait sensé. L'homme venait de lui confirmer qu'il y avait eu meurtres et qu'un tueur en série opérait dans la ville. Écœurée, elle ferma les yeux comme pour chasser cette réalité.

Chapitre 12

— Où est Laberge ? demanda Levasseur en se plantant devant le bureau de Marie-Christine, la secrétaire de Jeanne.

— Elle ne devrait pas tarder. Elle avait un rendez-vous à l'hôpital pour une prise de sang.

— Pourquoi, elle est malade ?

Le ton était ferme, de celui qu'on ne conteste pas. Être malade pour Levasseur était un état qu'il comprenait avec difficulté. Apprendre qu'un de ses hommes étaient en congé à cause d'un problème de santé le faisait frémir. L'arrivée des femmes au sein de la police lui avait été difficile à concevoir à cause de cela. Il s'était alors imaginé qu'elles ne sauraient pas gérer le stress qui venait avec ce métier, sans compter ces journées de maladie qu'elles prendraient pour « leurs petites affaires », comme il disait.

Mais avec le temps, il avait trouvé son inspecteur digne de prendre sa place parmi ses hommes, et en plus, elle ne s'absentait jamais. Jeanne Laberge n'était pas une femme, mais un homme avec une jupe, comme il aimait le dire. Ce à quoi elle ne répondait jamais, pensant que c'était inutile et que, de toute façon, elle ne parviendrait pas à changer son patron.

— Non, je ne pense pas. Examen de routine, certainement.

— OK, dès qu'elle arrive, dites-lui que je veux la voir avant la réunion.

Alors qu'il se dirigeait vers son bureau, il vit Jeanne passer la porte du service.

— Ah, te voilà, toi… suis-moi ! lui lança-t-il sans s'encombrer de politesse.

Il l'amena à l'écart.

— Alors, tu en es où dans ton enquête ? lui demanda-t-il tout bas. Si tu as convoqué une réunion, c'est que tu as quelque chose.

— Bonjour Jeanne, tu vas bien ce matin ? Oui, très bien Claude, je vous remercie, quoi que je sois très fatiguée en ce moment ; je me demande si je ne couve pas une petite grippe…

L'inspecteur-chef lui jeta un regard mi-amusé, mi-agacé.

— Une grippe n'empêche rien dans la vie pour ceux qui veulent agir !

— Eh bien voilà, j'agis. Oui, j'ai du nouveau et ça devrait vous plaire. Faites-moi confiance.

Il la fixa un instant. Elle percevait très bien toute l'ambivalence qu'il vivait. Jeanne savait que Levasseur l'appréciait et qu'il était passé du doute lors de ses premières enquêtes à l'acceptation de sa présence en tant qu'inspecteur. Il avait fini par voir en elle toute l'efficacité dont elle était capable. Mais parfois, elle le sentait encore hésitant.

— Nous t'attendons dans la salle de conférence. Je vous rejoins dans deux minutes.

Jeanne alla déposer son imperméable, ramassant du même coup ses messages, auxquels elle jeta un coup d'œil distrait. Puis elle se rendit à sa réunion.

Habituellement réservée pour les grosses enquêtes, la salle était plus vaste et mieux équipée qu'un bureau, avec son projecteur et ses deux grands tableaux. Quatre lignes téléphoniques y étaient installées ainsi qu'une machine à café.

Lorsque Laberge y entra, ses hommes étaient déjà là : Nixon, la stagiaire et trois autres policiers. Elle avait convoqué elle-même cette rencontre, et son retard d'à peine cinq minutes semblait avoir été remarqué. James regarda sa montre, et Jeanne lui fit un air, en roulant des yeux.

— Je suis désolée pour mon retard. J'avais un rendez-vous et j'ai été prise dans les embouteillages.

Levasseur, qui arrivait lui aussi, ferma la porte derrière lui avant d'aller prendre place dans le fond de la pièce.

— OK, commençons, si vous le voulez bien, annonça Jeanne. Inutile de faire dans le préambule, je sais que ce n'est pas trop votre truc, les gars. Comme vous le savez, il y a quelques jours, j'ai découvert une série de petites coïncidences sur deux patientes de l'hôpital Maisonneuve-Rosemont. Ces détails ont d'abord piqué ma curiosité, m'amenant à m'interroger sur leur origine. J'avais l'impression qu'il y avait un rapport entre eux. J'ai donc fait quelques vérifications avant de vous en faire part. Il fallait creuser davantage la question.

Je vous ai demandé de voir auprès des familles et des amis respectifs des victimes s'il y avait des liens entre elles... Vous avez devant vous les clichés montrant cet élément commun trouvé sur quatre personnes bien différentes. Jusqu'à hier, j'espérais encore que ce ne soit que le fruit du hasard, mais un nouvel élément est venu confirmer mes doutes. Mais avant d'aller plus loin, je dois ajouter qu'à la suite de vos vérifications, nous pouvons établir que les victimes Henrielle Bilodeau, Albert Charpentier, Manon Cloutier et Francesca Pasquali ne se connaissaient pas. Je dois aussi ajouter qu'une de ces victimes, la jeune Pasquali, est toujours vivante, contrairement aux trois autres. Néanmoins, elle entre dans cette liste puisqu'on trouve ce même signe sur son bras, dit-elle en désignant une photo épinglée sur l'un des tableaux.

Laberge fit une pause et reprit :

— Nous savons que mademoiselle Pasquali a été victime d'une crise cardiaque. Selon le rapport que j'ai reçu concernant les examens qu'elle a passés, une forte présence d'insuline a été retrouvée dans son corps. C'est la raison pour laquelle elle demeure dans la liste des victimes. Francesca est plongée dans le coma depuis trois semaines. Selon son médecin, le docteur Danielle Potvin, le taux d'insuline trouvé dans son organisme n'est pas normal, puisqu'elle est sous intraveineuse depuis son arrivée. Les possibilités que le pancréas se mette à sécréter cette hormone, alors qu'il n'y a pas de demande, sont plutôt minces, sauf s'il y a dysfonction de l'organe, ce qui ne semble pas être le cas. Ce qui m'amène à croire, messieurs, qu'il s'agit là d'une tentative de meurtre, comme pour toutes les autres victimes, et que nous avons affaire à un tueur en série!

— Wô! Tu ne vas pas un peu vite en affaire, Laberge? s'écria Levasseur.

— Je m'en tiens aux faits, répondit Jeanne, et bien qu'ils soient peu nombreux, ils sont tout de même là. Comment expliquer la présence de ce symbole sur des gens qui ne se connaissaient pas? Je pense que, pour corroborer mes doutes, nous devons faire une requête pour exhumer le corps d'Henrielle Bilodeau afin qu'une autopsie soit pratiquée. Nous connaissons déjà les causes de la mort de Charpentier, Cloutier et Brigitte.

— Brigitte? s'étonna la stagiaire.

— Qui est Brigitte? demanda Steven, l'un de ses agents qui se mit à feuilleter le dossier à la recherche de cette information qui lui avait échappé. Je n'ai rien vu sur cette femme.

— C'est volontaire. J'ai appris de source sûre qu'une cinquième victime a également été marquée par ce symbole. Une petite fille, prématurée de trente et une semaines, morte il y a peu. Et je vous le donne dans le mille: à l'hôpital Maisonneuve-Rosemont!

Laberge s'était réservé cette dernière information comme argument de poids. Elle venait renforcer son évaluation de l'affaire et l'équipe allait enfin prendre ses présomptions plus au sérieux.

— D'où provient ce renseignement? lui demanda Levasseur, qui se montrait soudainement un peu moins dubitatif.

— Du docteur Ghanem Benaissa, médecin de nuit qui travaille à Maisonneuve-Rosemont. Il a demandé à me rencontrer samedi dernier, car il est persuadé que la gamine n'est pas morte naturellement. Tout comme madame Bilodeau d'ailleurs. J'ai ici les détails de sa déclaration, dit Jeanne en distribuant les feuilles. Si le docteur Benaissa ne m'avait pas confié ses impressions, j'aurais probablement laissé tomber cette affaire par manque d'éléments déterminants. Mais les confidences du médecin sont venues conforter mes doutes.

Levasseur, comme les autres policiers, prit le temps de lire la déposition du médecin. Il se passa plusieurs minutes durant lesquelles Laberge eut le temps de fumer une cigarette. L'inspecteur-chef reprit la parole.

— OK, je conçois qu'il y a quelque chose… Les éléments sont subtils, si je peux m'exprimer ainsi, mais ils sont bien présents. Si tu confirmes que ces gens ne se connaissaient pas, et donc qu'ils ne faisaient pas partie d'une secte quelconque ou d'une communauté obscure qui viendrait expliquer la présence de ce dessin, c'est que quelqu'un les a choisis et les a marqués. Si ce n'est pas à l'intérieur d'un cercle, c'est que c'est extérieur. Tu as certainement une idée, Laberge.

— J'ai longuement réfléchi sur le cas des cinq victimes : deux sur trois sont mortes à l'hôpital, mais toutes les trois portaient un X. La troisième cible a failli mourir, mais l'équipe de réanimation est intervenue à temps. Les analyses montrent une présence inexpliquée d'insuline dans le sang de cette patiente. Selon le docteur Potvin, l'injection d'une surdose de cette hormone peut entraîner la mort. Nous pouvons donc supposer que cette même technique a été employée par l'assassin pour madame Bilodeau, puisque le résultat est le même : infarctus du myocarde. Il nous faut effectuer une autopsie sur cette dernière afin de déterminer la cause réelle de sa mort. Pour le bébé, l'autopsie est claire : déficience respiratoire. Le docteur Benaissa affirme que la prise de courant de la machine aidant Brigitte à vivre était à moitié débranchée, laissant ainsi croire que l'appareil a fait défaut et qu'une erreur technique est survenue. Nous connaissons donc la cause de la mort de l'enfant. Il serait intéressant d'obtenir le rapport d'autopsie de la petite, afin de voir si le pathologiste judiciaire a noté la présence du dessin sur son épaule, comme le déclare Benaissa, ce qui nous ferait un élément de preuve. Les deux autres victimes, Manon Cloutier et Albert Charpentier, sont mortes d'une surdose pour la première, dit Laberge en désignant la photo où l'on voyait les deux seringues dans le bras de la victime, et d'une perforation de l'estomac provoquant une péritonite, dans le cas de la seconde.

— Si c'est de cette façon que l'assassin a tué Charpentier, comment expliques-tu le moyen de procéder ? On l'aurait gavé ? postula Nixon.

— Je l'ignore. Quoi qu'il en soit, la personne qui a provoqué sa mort devait savoir que les cure-dents, une fois avalés, provoqueraient ces dommages et que, non secourue à temps, la victime allait mourir.

— C'est dégueulasse, dit Marc, un autre des agents, en regardant les photos.

— Oui, et là, tu n'as pas l'odeur ! lui répondit Laberge.

— Ce que je comprends, lança Levasseur, c'est que celui qui a fait ça a certainement quelques connaissances médicales. On parle d'insuline, d'injection, de péritonite provoquée. Il faut avoir accès à l'insuline. À ce que je sache, on n'achète pas cette substance au supermarché, il faut une ordonnance. De plus, trois des victimes étaient à l'hôpital.

— Oui, c'est ce que je pense également, confirma Laberge en opinant de la tête.

— Et pour Manon Cloutier ? s'enquit son supérieur.

— Eh bien, elle est morte d'une surdose dans une ruelle. Nous pouvons penser que la personne qui l'a tuée avait accès à des seringues et à de la drogue. Nous avons là encore un lien avec le milieu médical.

— L'assassin aurait très bien pu se procurer le nécessaire auprès d'un revendeur, suggéra l'un des gars.

— Oui, c'est possible. Encore faut-il savoir à qui le demander et où aller, mais c'est effectivement une possibilité.

L'inspecteur-chef s'approcha du tableau pour regarder d'un peu plus près les photos.

— Comment expliques-tu que ces trois personnes aient été marquées au crayon, mais pas les deux autres ? demanda-t-il à son enquêteur.

— Qui dit qu'elles ne portaient pas de marque, elles aussi ? Elles en ont certainement une, mais nous n'y avons pas fait attention. Il faudrait relire les rapports. Savard pourrait nous répondre, c'est lui qui a fait les autopsies.

Levasseur prit aussitôt le téléphone pour appeler sa secrétaire.

— Claire, faites venir Yvon Savard immédiatement, je vous prie. Dites-lui d'amener les rapports d'autopsie de Manon Cloutier et d'Albert Charpentier… Oui, merci, dit-il en raccrochant le combiné. Nous serons bientôt fixés ! Tu proposes quoi pour la suite des choses ?

— Eh bien, comme je le disais tout à l'heure, nous devons demander au juge un mandat afin de pouvoir exhumer le corps de madame Bilodeau et de procéder à une autopsie. Je sais qu'elle n'a pas été exposée, c'était l'une de ses exigences ; il n'y a donc pas eu d'embaumement. Nous devons aussi demander l'expertise des examens pratiqués sur Brigitte, le bébé prématuré. Lorsque nous aurons établi les causes des décès et la présence ou non du symbole sur chacune des victimes, il nous faudra découvrir ce qui les lie. C'est alors que nous comprendrons le *modus operandi* de l'assassin. Le temps presse, car nous ignorons encore comment il procède et s'il y aura une prochaine victime. Sa dernière cible était Francesca Pasquali. Tentera-t-il de s'en prendre une nouvelle fois à elle étant donné qu'il a manqué son coup ? Je n'en sais rien…

— Mais c'est fort possible, la coupa Levasseur. Il faut un policier sur place. Sa chambre doit être surveillée.

— Si nous plaçons un flic sur place et que notre assassin travaille dans cet hôpital, on risque de le perdre. Il se tiendra tranquille pendant un moment.

— Qu'il soit en civil, suggéra la stagiaire qui suivait les échanges depuis le début sans broncher. Ou encore qu'il se fasse passer pour un patient. Je suppose que la direction ne s'y opposerait pas.

— C'est une bonne idée, ça ! Envoyons l'un de nos gars faire un séjour à l'hôpital, reprit Levasseur en riant.

La jeune femme se referma comme une huître. Laberge jeta un regard à son supérieur, mais elle ne voulut pas intervenir. C'était à la jeune femme de faire ses preuves dans ce milieu d'hommes. Elle se promit tout de même de lui passer le message de se tenir debout.

— C'est déjà fait : un policier vêtu en civil surveille la chambre de Francesca Pasquali depuis l'agression, conclut Laberge.

— Très bien, approuva son supérieur.

— Penses-tu qu'il pourrait y avoir d'autres victimes ? demanda Nixon en se levant.

— Je ne vois pas pourquoi il s'arrêterait là ! À moins qu'il n'ait un plan bien défini et que ces gens en faisaient partie, mais j'en doute.

Au même moment, on cogna à la porte qui s'ouvrit aussitôt sur l'expert légiste. L'homme, âgé d'une cinquantaine d'années, était l'un des meilleurs pathologistes judiciaires de la province.

Laberge lui expliqua ce qu'ils voulaient savoir. En deux secondes, Savard sortit une feuille de chaque dossier, indiquant du doigt une note en marge. Manon Cloutier, en plus d'un tatouage sur l'épaule droite, avait une croix dessinée à l'encre sur l'épaule gauche. Albert Charpentier affichait le même dessin au même endroit.

* * *

Les enfants d'Henrielle Bilodeau tombèrent en état de choc lorsqu'ils apprirent que le corps de leur mère allait être déterré parce que le coroner exigeait une autopsie. Ils n'en comprenaient pas la raison, puisque leur mère était morte d'un arrêt cardiaque à l'hôpital. Jeanne passa un moment à tenter de leur donner des explications satisfaisantes, sans toutefois leur révéler les vraies raisons de cette démarche. Ses éclaircissements ne modéraient en rien la douleur que les enfants éprouvaient à l'idée que l'on allait exhumer le corps de leur mère du lieu de son dernier repos. Il y avait un acte violent dans cette démarche, un fait profondément bouleversant. Jeanne en était consciente. Malgré tout, les enfants lui firent confiance.

* * *

La salle était d'une propreté exemplaire, froide et sans décoration. C'était le lieu de travail d'Yvon Savard. Laberge, comme bien des gens, se demandait très souvent comment il faisait pour effectuer ce boulot. L'idée de travailler avec des morts et de tenter de faire parler des corps devenus silencieux lui donnait des haut-le-cœur, particulièrement ce matin, car le cadavre en question était celui de son ancienne voisine. Elle fit de gros efforts pour se convaincre de ne pas quitter l'endroit. À la demande de Levasseur, elle devait participer à l'autopsie. Elle se demanda si ce n'était pas pour la tester. C'était son genre.

Laberge poussa la porte et entra dans la salle où Savard et son adjoint l'attendaient avant de procéder à l'identification du corps et à l'examen. Ils devaient prendre quelques clichés et faire des rayons X et des prélèvements sur la surface du corps. Ensuite, elle le savait, viendrait l'éviscération; cette dernière partie lui était insupportable.

Elle risqua un regard vers le corps d'Henrielle, respira un grand coup, mais se précipita aussitôt dans les toilettes situées juste à côté pour vomir. L'image qu'elle venait de voir de la dame lui resterait longtemps en mémoire, elle le savait. Pourtant, elle en avait vu des corps en décomposition, mais elle ne connaissait jamais personnellement les victimes. Sa chère voisine était maintenant de couleur verte, tachetée de brun, et elle était si enflée qu'elle était méconnaissable. Jeanne se vida une seconde fois, tandis que la porte de la salle de bains s'ouvrit sur le pathologiste judiciaire.

— Ça va ? Pas facile, n'est-ce pas ? Moi, je n'y fais plus attention et j'oublie à quel point le spectacle peut être pénible pour quelqu'un qui n'en a pas l'habitude. Écoute, je te propose de faire l'autopsie sans toi. Ta présence n'est pas vraiment nécessaire, contrairement à ce qu'a affirmé Levasseur. Je t'enverrai les résultats rapidement, sitôt que je termine. Ça te va ? Bien entendu, il y a certains tests qui prennent plus de temps, mais, au moins, tu auras un premier rapport entre les mains.

Jeanne sortit des toilettes aussi verte que le cadavre. Elle se passa de l'eau sur le visage, tout en s'efforçant de respirer.

— Pfff... Et cette odeur...

Savard lui tapota amicalement l'épaule par compassion.

— Oui, je sais, c'est ce qui semble le pire. Moi, je ne la sens plus, mais je sais qu'elle est terrible lorsque je sors de mon labo : les gens que je croise dans les couloirs grimacent en se pinçant le nez. Un jour, je te raconterai quelques anecdotes sur le sujet, mais pas maintenant, je pense... Allez, rentre chez toi, Laberge. À plus tard !

* * *

Il était onze heures trente lorsqu'elle reçut un appel. Elle bondit aussitôt de son fauteuil, attrapa son imperméable et sortit en trombe de son bureau pour aller trouver Nixon.

— Le docteur Potvin vient de téléphoner. La jeune Pasquali s'est réveillée et il paraît qu'elle a quelque chose à nous dire.

* * *

Danielle Potvin les attendait au poste des infirmières. Elle accueillit Laberge d'un large sourire, ce que Jeanne interpréta comme une bonne chose. De toute évidence, la femme ne lui tenait pas rigueur de ne pas l'avoir laissée la courtiser. Elle éprouva même une vive sympathie pour elle.

— Venez, suivez-moi. Nous avons transféré Francesca dans une chambre où nous pouvons mieux voir ce qui s'y passe, puisqu'elle possède une caméra de surveillance. Votre policier se trouve dans la pièce avec elle, c'est plus... discret. C'est l'infirmière de service qui était présente au moment où Francesca a ouvert les yeux. Je l'ai examinée et elle va bien.

Le médecin indiqua une porte vitrée par laquelle on voyait la jeune patiente. Nixon demeura à l'extérieur pendant que les deux femmes entraient dans la pièce.

— Bonjour Francesca, tu vas bien ? demanda Danielle Potvin en prenant aussitôt connaissance du suivi laissé par les infirmières dans le dossier de la patiente. Je vois que tu récupères très rapidement. Comment est ta mémoire, te souviens-tu de mon nom ?

— Bonjour docteur Potvin, je me sens en pleine forme… Normal, depuis le temps que je dors…

— Ah, l'humour est toujours le meilleur indicateur que le moral va bien. Mais je veux vérifier ta mémoire. Peux-tu me donner le nom de la personne qui se trouve dans la pièce avec nous ? dit-elle en désignant l'inspecteur.

— Hmm ! Ce serait difficile puisque vous ne me l'avez pas encore présentée.

— Excellent, s'écria le médecin, excellent ! Francesca, je te présente l'inspecteur Jeanne Laberge.

— Wow ! Je suis impressionnée ! Une femme inspecteur, c'est vraiment *l'fun*. Bravo ! Vous et le docteur Potvin êtes des exemples.

— Je suis enchantée, dit Jeanne en lui tendant la main, séduite par l'entrain de la jeune fille. Mais parlant d'exemple, je sais que tu études en anthropologie, c'est assez unique. Tu veux faire quoi ?

— Je me dirige en ethnologie. La différence culturelle me passionne.

Laberge acquiesça. Décidément, cette jeune femme lui apparaissait des plus aimables.

— C'est vraiment intéressant. Francesca, je sais que tu dois te reposer, je vais donc aller directement à la raison de ma présence ici : le docteur Potvin m'a demandé de passer, car elle m'a dit que tu avais des choses à raconter. Un événement serait survenu alors que tu étais dans le coma.

— Oui, c'est ça. Je suis heureuse de constater que ma mémoire est intacte, car il paraît que bien souvent le choc après un tel traumatisme affecte la mémoire pendant un certain temps. Mais ce n'est pas mon cas. J'expliquais au docteur que je me suis réveillée juste avant d'avoir ma crise cardiaque. Il y avait quelqu'un dans ma chambre.

— Je t'écoute, Francesca, continue, je t'en prie.

— C'est sa présence que j'ai perçue en premier, j'étais complètement... comment pourrais-je vous dire ça... ailleurs. Je ne sais trop comment le définir, mais j'ai eu l'impression d'émerger, comme si je revenais, euh... à la lumière. Je sortais du brouillard, c'était moins sombre autour de moi. J'ai soudain ouvert les yeux. Dans un premier temps, c'était flou, je ne distinguais pas grand-chose. Mais très vite, ma vision s'est replacée, et c'est là que j'ai aperçu quelqu'un qui était penché sur moi. Cette personne semblait surprise de me voir réveillée.

— Était-ce une infirmière, un médecin ? demanda Laberge en notant les propos de la jeune femme dans son carnet.

— Je ne pense pas. En réalité, je ne sais pas, mais la personne m'a dit quelque chose. J'étais encore dans les vapes, et je ne me rappelle pas les paroles exactes, mais ce que ça voulait exprimer, c'est que je ne devais pas me réveiller, qu'il était trop tard. Et là, j'ai senti qu'on me prenait le bras pour faire une piqûre. J'ai aussitôt éprouvé une douleur horrible dans la poitrine, et ensuite ce fut le trou noir.

— Que peux-tu me dire de cette personne ? Essaye de te rappeler : un détail pourra nous aider. Était-ce un homme, une femme, une personne âgée, jeune ? De quelle couleur étaient ses cheveux, portait-il ou portait-elle des lunettes ?

— Je cherche depuis mon réveil, mais c'est si flou...

— C'est tout à fait normal, enchaîna le docteur Potvin, mais ça devrait se définir avec le temps.

Laberge se retint de dire qu'elle n'avait pas ce temps, mais à quoi cela aurait-il servi, sinon à mettre une pression indue sur les épaules de Francesca ?

Avant de quitter les lieux, l'inspecteur tendit sa carte à la jeune patiente en lui disant de l'appeler si elle se souvenait de quoi que ce soit, et ce, à n'importe quelle heure. Elle lui laissa également ses coordonnées personnelles.

* * *

Jeanne venait de se glisser dans l'eau bouillante de son bain. Elle n'en prenait à peu près jamais, mais elle se sentait lasse et avait besoin de se détendre. Les images du corps d'Henrielle lui restaient en mémoire ; elle en gardait une impression nauséeuse. Toutes les informations des derniers jours se bousculaient dans sa tête, et elle essayait de reconstituer la trame de cette histoire. Il ne faisait plus aucun doute qu'ils avaient affaire à un meurtrier en série, et l'idée qu'ils auraient pu passer à côté sans jamais le savoir la terrifiait. Elle était déçue de ne pas avoir relevé dans les rapports d'autopsie la marque bleue sur le bras gauche de Charpentier et de Cloutier. L'information était là depuis le début pourtant, mais elle n'y avait jamais prêté attention. Ce détail lui revenait maintenant sans cesse en tête et elle avait l'impression d'avoir commis une faute.

Elle ferma les yeux, en poussant un profond soupir.

Deux coups de sonnette la sortirent de ses pensées. Elle fronça les sourcils avant de se décider à émerger du bain. Elle enfila son peignoir de ratine, puis se dirigea vers l'interphone.

— Oui ?

— Laberge, c'est James. Je viens de recevoir le rapport de Savard. Je sais que tu voulais le voir rapidement.

— Oui, oui, bien sûr, je t'ouvre.

Elle actionna le bouton qui permettait d'ouvrir la porte de l'immeuble. Nixon se figea en la voyant en peignoir.

— Oh, je suis désolé, je te dérange...

— Non, non, entre. Tu sais, même en cherchant à me détendre, mes pensées tournent et retournent cette affaire. Viens, dit-elle en le laissant passer. Tu veux un café ?

— Je veux bien, oui. Il fait vraiment froid dehors, dit-il en lui tendant une enveloppe.

Laberge l'ouvrit aussitôt pour la parcourir rapidement.

— Eh, merde !!! Ahhh... dit-elle en se laissant choir sur une chaise. Rien. L'autopsie n'a rien révélé. Mais ça ne veut pas dire, comme le stipule Savard, qu'il n'y a rien eu. Plusieurs substances disparaissent rapidement, sans laisser de trace. Cette histoire me décourage. Nous savons que ces gens ont été tués, mais nous n'avons rien. C'est vraiment incroyable cette façon qu'a le meurtrier de nous échapper.

— Un meurtrier discret.

— Ouais, comme tu dis.

— On fait quoi maintenant ?

— Nous devons continuer à chercher dans le passé des victimes : il doit bien y avoir un élément, un lien quelconque… Généralement, un meurtrier choisit ses victimes pour une raison précise, il faut la trouver.

Jeanne se leva pour aller préparer le café.

— Euh, Jeanne…

— Oui ?

Nixon porta son regard vers la fenêtre. Le soleil se couchait. À cette période de l'année, le soir tombait rapidement.

— Non, rien.

Elle le regarda sans comprendre. Nixon était Nixon avec ses silences et ses secrets. Elle préféra changer de sujet.

— Je veux que tu convoques les membres de l'équipe pour demain matin. Je veux savoir où ils en sont.

* * *

Il devait être minuit passé quand la sonnerie du téléphone retentit dans l'appartement. Richardson se redressa immédiatement, tout en attrapant le combiné.

— Oui ?!... Un instant, je vous prie.

Il se tourna vers Jeanne qui dormait à poings fermés, ce qui le surprit.

— Jeanne, lui murmura-t-il en la secouant doucement, téléphone pour toi. Réveille-toi, mon amour...

Lentement, elle ouvrit les yeux, tout en lui souriant.

— Même quand on te réveille en pleine nuit, tu es belle... tu sais que c'est injuste pour les autres femmes ?

Elle prit le combiné qu'il lui tendait tout en lui embrassant la main.

— Laberge. Francesca ? Tu vas bien ? Non, non, il n'y a aucun problème, je t'avais dit de m'appeler à toute heure... oui... oui, je t'écoute... oui... Tu es certaine de ce que tu me dis ? C'est parfait... je te remercie pour cette précieuse information. Oui... À toi aussi, bonne nuit !

Jeanne raccrocha le combiné. Un sourire venait illuminer ses traits endormis. Son amant, couché sur le côté, l'observait, amusé.

— Tu viens de comprendre un truc, toi, je me trompe ?

Elle le regarda avant de l'embrasser sur le front.

Chapitre 13

L'assassin savait que l'inspecteur Jeanne Laberge était sur ses traces. Il devinait que la femme n'allait pas tarder à comprendre qui il était. Il la savait brillante, pour l'avoir vue à la télévision à quelques reprises. Il avait tout de suite éprouvé une vive sympathie pour cette femme qui semblait en parfaite maîtrise de sa vie.

« L'enquêteur fait partie de ces êtres qui méritent leur place en ce monde, songea-t-il. Charles Darwin l'aurait certainement citée en exemple dans sa définition de la survie des espèces. Un digne spécimen. Une femme non seulement intelligente, mais qui sait aussi s'adapter aux situations. »

Et l'assassin l'avait rencontrée. Ça le rendait heureux, fier même. Au moins, il aurait connu avant de mourir un être digne de vivre et de se reproduire, car, il l'avait deviné, l'inspecteur portait un enfant. Il fallait avoir travaillé dans le monde des hôpitaux pour reconnaître ces choses-là au premier coup d'œil.

Ses gènes allaient se transmettre à une nouvelle génération, qui deviendrait encore meilleure. Cette vision le fit sourire. Il quitterait ce monde, heureux. N'était-ce pas là la plus belle des récompenses ?

Il avait travaillé si fort pour améliorer la race humaine en éliminant ceux qui en ralentissaient l'évolution, mais il restait encore du travail à faire. Son apport à la grande marche de la perfection n'était qu'une poussière dans l'infini. La suite se ferait sans lui, car il n'avait plus de force. Et son temps était compté.

Son testament intellectuel était fait et scellé. Il était adressé à l'inspecteur Laberge, à qui il léguait ses raisons et ses motivations. L'assassin racontait à cette femme perspicace et compréhensive pourquoi il avait commis ces gestes, qui pouvaient être mal interprétés, et comment il avait procédé. Il avait éprouvé le besoin de s'expliquer à elle par respect pour le métier qu'elle exerçait. Après tout, leurs motivations étaient très proches : arrêter ceux qui nuisent à la société, écarter les parasites pour que les meilleurs s'épanouissent.

Il avait préparé une liste complète et bien documentée avec, pour chaque nom, des précisions sur les raisons ayant motivé son choix. Il lui laissait avec émotion son journal où tout avait été soigneusement consigné. Jeanne Laberge comprendrait alors sa contribution à la société. Elle connaîtrait la raison justifiant les gestes. Il fallait éliminer certaines nuisances dans l'unique but que les gènes les plus forts prennent la place.

En tout, quatorze personnes en treize années de travail avaient été proprement assassinées pour garantir le meilleur chez l'Homme. Quatorze maillons faibles qui souillaient l'évolution vers la perfection. Il aurait aimé en faire davantage. Les dernières victimes étaient rapprochées dans le temps, tout simplement parce qu'il sentait la fin arriver.

Il était conscient que, parmi ces victimes, certaines n'étaient plus en âge de se reproduire. S'il avait consenti à les éliminer, c'était uniquement pour contrarier la science, pour lui démontrer ses torts. Sans aide médicale, ces « malades » n'auraient jamais survécu. La nature les aurait éliminés. Mais la recherche tentait de brouiller les données, elle jouait à Dieu, elle cherchait à prendre sa place en affirmant que tout le monde avait le droit de vivre, que nous étions tous égaux. Mais c'était faux, complètement faux. On nous leurrait. La science n'avait rien de divin, elle n'avait pas le droit de décider à la place de la nature.

« Si les médecins n'avaient pas maintenu ma mère artificiellement en vie pendant des mois, son existence n'aurait pas été une nuisance à la vie elle-même. » Une entaille au genre humain. Il avait fallu qu'il s'en mêle, qu'il mette un frein à leur volonté de la maintenir vivante. Ils s'étaient acharnés sur le cas de cette pauvre folle, sans même lui demander son avis. La laisser vivre représentait le gouffre vers lequel toute l'humanité se dirigeait, celui de son extinction.

« Non, ma mère ne devait pas vivre. Elle n'aurait d'ailleurs jamais dû se reproduire. Sa vie était une insulte à la vie. Et il y en a tant comme elle. »

C'est à ce moment-là, alors qu'il avait vu sa mère mourir, que l'assassin avait compris ce qu'il devait faire, et quel était son rôle dans ce vaste mouvement vers la perfection.

Il devait faire place à la pureté.

Il était l'instrument de l'évolution, le bras droit de la nature.

Il éliminerait les plus faibles, ceux qui étaient indignes de vivre, ne pensant qu'à favoriser le sort des plus forts afin qu'ils se reproduisent entre eux. Les nazis avaient commencé la purge, mais Hitler s'était fourvoyé dans sa définition de la race supérieure. Il n'avait pas compris que l'Homme deviendrait meilleur grâce à son intelligence et à une génétique parfaite qui devait être favorisée, et qu'elle n'était pas propre à une seule race. Darwin, lui, avait compris dès le début comment l'*Homo sapiens sapiens* se survivrait à lui-même, et comment il se démarquerait des autres espèces. Il en avait établi les codes, c'est ce qu'il appelait la « sélection naturelle ».

Et ce fut sa règle de conduite, sa bible.

À partir de ce jour, avait noté l'assassin dans son journal, *je me donnais corps et âme à ma mission, ciblant ceux qui ne pouvaient entrer dans la compétition.*

Je m'étonne encore de constater à quel point il me fut facile d'agir. Jamais je n'ai fait souffrir mes victimes, à part peut-être Albert Charpentier, Dieu ait son âme ! Je n'ignorais pas que la fin se ferait dans d'horribles douleurs, mais je ne voyais pas comment faire autrement. Monsieur Charpentier demeurait chez lui, il fallait donc que je puisse m'introduire dans son appartement. J'ai pensé tout naturellement à la nourriture. Comme je savais qu'il venait de subir une intervention chirurgicale, j'ai deviné que l'homme retomberait dans ses vieilles habitudes, si on le poussait un peu. Quelqu'un qui a connu le vice peut si facilement rechuter, je le savais. À demeurer chez lui sans sortir, il ne risquait pas de suc-

comber à la tentation, mais si la nourriture venait à lui, c'était autre chose. Lorsque les plats commandés sont arrivés, j'étais déjà dans l'appartement, et je le menaçais avec une arme. Bien entendu, je ne m'en serais jamais servi, car je n'aime pas la violence. Mais il me fallait un moyen de persuasion incontestable!

Et j'ai continué de le tenir en joue pendant qu'il dévorait ce que je lui présentais. Travaillant dans le milieu hospitalier, je connaissais évidemment ces histoires d'intestins perforés par des cure-dents et qui déclenchaient des péritonites. Je pensais donc que la même chose se produirait. Et c'est ce qui s'est passé, peu de temps après qu'il eut ingéré la nourriture dans laquelle j'avais placé des cure-dents. Les résultats furent assez rapides, contrairement à ce que je pensais. Lorsque j'ai quitté l'appartement, monsieur Charpentier était mort. Ce fut un horrible moment. L'odeur était insoutenable.

N'est-il pas dit dans la Genèse: « Tu périras par où tu as péché » ?

Pour ce qui est de Manon Cloutier, là encore, la facilité avec laquelle j'ai procédé était extraordinaire, comme lorsque les choses se font naturellement. Je connaissais Manon pour l'avoir rencontrée alors qu'elle avait été admise à l'hôpital pour une surdose. Elle a passé un bon moment à Maisonneuve-Rosemont avant d'être jugée. Le procureur l'avait obligée à consulter un psychologue et à faire une cure de désintoxication. Mais je savais que ses belles promesses d'arrêter de consommer n'étaient que des balivernes. Je le lisais dans ses yeux. Un jour, je l'ai revue en dehors de l'hôpital. Deux semaines s'étaient écoulées depuis sa sortie, et j'ai tout de suite su qu'elle avait rechuté. Je lui ai alors proposé de prendre un café, et nous avons discuté un moment. Et puis, je l'ai revue. Je m'arrangeais pour me trouver sur sa route. Je la surveillais. Je voulais savoir si elle tentait d'arrêter sa consommation, mais chaque fois elle me racontait des sornettes. Un jour où je l'ai croisée dans la rue, elle m'a appris qu'elle était enceinte. Ma décision fut aussitôt prise. Il était hors de question qu'elle mette un enfant au monde. Elle n'était pas digne de vivre, son enfant non plus.

Un soir, je l'ai suivie dans une ruelle, et je l'ai regardée faire. Je l'ai vue préparer sa dose d'héroïne, mettre l'élastique à son bras et s'injecter sa merde. Mes pensées allèrent aussitôt vers l'enfant qu'elle portait. Comment pouvait-elle agir de la sorte ? Je l'ai vue ensuite se détendre. En m'approchant d'elle, j'ai compris qu'elle avait perdu cette arrogance qu'elle avait depuis le premier jour où je l'avais rencontrée.

Ce que je voyais là, devant moi, dans le fond de cette ruelle, n'avait rien de digne. Cette femme ne méritait pas la chance qu'elle avait d'être en vie. J'aurais pu attendre qu'elle se détruise par elle-même, mais j'ai eu pitié du bébé, qui pouvait très bien naître avant que cela ne se produise. Lui laisser une telle mère en héritage n'offrait rien de glorieux pour son avenir ni pour celui de l'espèce humaine. Par miséricorde pour ce petit, j'ai décidé d'éliminer sa mère, comme j'aurais aimé qu'on le fasse pour la mienne. Trouver un revendeur et une seringue a été des plus faciles. Quand on paye, rien n'est compliqué. Je me suis donc procuré ce qu'il me fallait avant de retourner dans la ruelle où Manon gisait encore. Sans hésiter, je lui ai enfoncé une autre aiguille dans le bras. Elle me regardait faire, mais ne réagissait pas. Son dernier regard a enregistré mon visage, pendant que je lui caressais les cheveux. Elle n'est pas morte seule, j'étais à ses côtés. Je pense qu'elle est morte heureuse, car je l'avais délivrée d'elle-même. Ma satisfaction fut double.

La mort de cette enfant me rappelle celle de Brigitte Andrew-Saint-Georges. Une prématurée de trente et une semaines. Si j'ai décidé d'abréger sa jeune vie, c'est que, dans la nature, elle n'aurait tout simplement pas survécu et que nous cherchons, encore une fois, à remplacer Dieu en sauvant ces petits anges. Cette enfant ne devait pas vivre. Entre nous, inspecteur, qui est coupable ? La médecine, qui s'évertue à tenter de sauver ceux qui sont condamnés et qui prolonge la vie alors que la nature a établi ses critères, ou moi, qui m'efforce de favoriser la sélection naturelle et de rétablir un équilibre ? Je ne vais pas contre l'évolution, au contraire, je favorise son accomplissement.

Je dois avouer par contre que mes efforts n'ont pas toujours été couronnés de succès. L'une de mes dernières tentatives a lamentablement échoué. C'est la première fois que cela m'arrivait ; c'était certainement un signe pour me faire comprendre que je devais m'arrêter là. Je fais référence à la jeune Francesca Pasquali, qui a ouvert miraculeusement les yeux, au point de me faire douter un moment. Devais-je la laisser vivre ? Si elle se réveillait après ce coma au moment où je m'apprêtais à la tuer, devais-je suspendre mon geste ? J'ai su que non en repensant à cette triste maladie qu'elle avait et qui allait en se dégradant. Mon hésitation a été de courte durée.

Il m'arrive encore, alors que je me confesse en écrivant ces mots, de douter de mon geste. Aurais-je dû la laisser vivre ? J'avais consulté son dossier médical. Je sais que la jeune fille souffre d'une ataxie spinocérébelleuse, et que c'est certainement à cause de cela qu'elle s'est fait renverser par ce chauffard. Je me devais donc de l'éliminer, mais son regard m'interdisait de le faire. J'ignore d'ailleurs comment interpréter ce qui a suivi, puisqu'elle a été sauvée in extremis. *Avais-je commis une erreur ? La science me mettait-elle au défi ?*

J'ai compris que je n'étais plus efficace, que je n'étais plus apte à faire ce que je devais faire. Il était temps d'en finir. J'avais fait ma part pour l'avenir de l'Homme et je savais que d'autres prendraient la relève.

Le chemin est long jusqu'à la perfection.

Madame l'inspecteur Jeanne Laberge, je vous souhaite une carrière digne de vous. Ce fut un honneur d'avoir croisé votre route. Je pars en ayant l'impression d'avoir accompli quelque chose de grand. Et même si vous ne saisissez pas tout de suite la profondeur de mes motivations, je sais que vous les comprendrez plus tard. Vous me donnerez alors raison et, qui sait, peut-être poursuivrez-vous mon travail.

Adieu, Jeanne.

L'assassin avait scellé ce qu'il appelait son testament, tout en plaçant bien en évidence une enveloppe blanche sur laquelle était calligraphié avec élégance le nom de Jeanne Laberge, inspecteur au SPCUM. À l'intérieur, se trouvait une lettre destinée à cette femme qu'il admirait tant, et dans laquelle il exprimait son regret de ne pas mieux la connaître.

Il prit une gorgée de son thé, qu'il termina. Sans se presser, il se rendit ensuite à la cuisine où il lava minutieusement sa tasse, l'essuya, avant de la ranger. Satisfait de la propreté des lieux, il alla dans sa chambre. Il était temps.

Tout était prêt, il pouvait partir.

Il prit place sur son lit, et souleva sa chemise. D'une main sûre, il attrapa la seringue prête à l'usage posée sur sa table de nuit. Il pinça la chair de son ventre pour en faire un bourrelet, puis il y enfonça l'aiguille et injecta tout le liquide contenu dans l'ampoule.

Une fois l'injection faite, il replaça son vêtement et s'allongea sur son lit soigneusement fait, avant de fermer les yeux.

« Voilà, j'ai terminé » furent ses derniers mots.

* * *

— Donnez-moi deux unités de glucagon…

* * *

— Bonjour, madame Montembault. Bienvenue dans le monde des vivants, dit Laberge en voyant la bénévole cligner des yeux tout en regardant autour d'elle, sans comprendre où elle se trouvait.

— Qu… quoi ? Que dites-vous ?

— Je vous souhaite la bienvenue ! Ce qui sous-entend, vous le comprenez, que vous avez manqué votre suicide. Nous sommes arrivés juste à temps pour vous empêcher de franchir le seuil de non-retour.

La quinquagénaire grimaça.

— Et j'ajoute que je suis très heureuse de vous voir parmi nous.

— Je… je ne comprends pas…

— Je m'en doute, mais je vais tout vous expliquer, ne craignez rien. Tenez, buvez un peu d'eau, dit-elle en lui tendant un verre. Nous allons prendre le temps qu'il faut pour bien nous comprendre. Mais je peux d'emblée vous dire que je suis contente de voir que vous n'échapperez pas à votre destin, et que vous ne vous en tirerez pas à si bon compte. Madame Montembault, on ne peut impunément tuer des gens et tenter d'échapper à sa peine en se suicidant.

— Je n'ai pas cherché à fuir mes actes, si c'est ce que vous voulez insinuer. Je ne suis pas aussi lâche que vous pouvez le penser, puisque je ne me sens pas coupable de ces crimes. J'ai fait ce que je devais faire, et d'autres, je le sais, poursuivront la purge. Mes actes peuvent vous sembler horribles, mais un jour, on en reconnaîtra la grandeur, croyez-moi. Vous m'empêchez de mettre fin à mes jours, mais la nature est plus forte. J'ai un cancer généralisé, inspecteur, alors mourir aujourd'hui ou demain, ça m'est égal, mes jours sont comptés.

— Si cela vous est égal, pourquoi avoir voulu vous suicider ?

— Parce que je suis ma logique, et que je fais ce qui doit être fait. Vous ne comprenez pas, n'est-ce pas ?

Je m'applique ma propre médecine, Jeanne. Je suis malade, je ne peux survivre pour le bien de l'humanité. Vous comprenez ? Et j'arriverai tout de même à mes fins en refusant tout traitement. Je fais partie de la purge et la science n'y pourra rien. Je laisse la vie faire ce qu'elle doit faire, et je remporte tout de même la partie !

— Même si vous êtes mourante, je vais tout faire pour que vous soyez condamnée pour ces horreurs que vous avez commises. Vous ne vous en tirerez pas grâce à la mort, ce serait trop facile.

— Oh, mais je suis certaine que vous n'allez pas rester les bras croisés. Je sais que vous avez des convictions et qu'à vos yeux, un meurtrier doit payer son crime. Je vous donne raison, vous savez, c'est pour cela que je vous admire tant. Vous êtes droite et fidèle à vous-même, tout comme moi. Mais, entre nous, tout ce que vous ferez ne changera rien à ce qui s'est passé. Même si vous me jetiez en prison pour les cent prochaines années !

* * *

Laberge sortit de l'hôpital avec le sentiment d'avoir perdu une bataille. Oui, la bénévole avouait ses crimes, elle avait même laissé la liste des noms de ses victimes ainsi que les détails entourant leur mort. Mais Jeanne avait l'impression que Montembault s'en tirait à bon compte, que la femme était heureuse du dénouement de l'histoire, et fière du rôle qu'elle y avait tenu.

Pour la première fois depuis qu'elle faisait ce métier, elle ressentit la désagréable impression de ne pas avoir eu le dernier mot.

Il pleuvait encore. L'automne prenait place.

Jeanne décida de rentrer chez elle ; elle était épuisée. Les révélations d'Agathe Montembault et les propos dans son testament l'avait déprimée.

Elle appuya sur la touche de son répondeur téléphonique pour écouter ses messages : d'une voix qui trahissait sa tristesse, sa mère lui demandait de la rappeler ; James lui annonçait qu'un témoin important s'était enfin manifesté dans le délit de fuite concernant Pasquali, et pour finir, son médecin lui demandait de la rappeler avant dix-sept heures. Elle regarda sa montre ; il était encore à son bureau.

— Docteur Granger, Jeanne Laberge au téléphone, je retourne votre appel.

Elle écouta attentivement ce que le généraliste avait à lui dire, le remercia et raccrocha. Abasourdie, elle s'appuya contre le mur et se laissa glisser au sol où elle resta figée, à regarder le vide. Des larmes se mirent à rouler sur ses joues. Au même moment, la porte de son appartement s'ouvrit. Elle regarda fixement le couloir lorsqu'elle vit Richardson entrer avec des sacs de provisions qu'il déposa en la voyant. Il sut tout de suite qu'il se passait quelque chose. Son amant s'approcha d'elle et s'agenouilla.

— Qu'est-ce qui se passe, Jeanne ?

Elle le regarda bien en face. De sa main, elle essuya ses joues, puis replaça quelques mèches de cheveux sur le front de son amoureux.

— Je suis enceinte !

FIN

Remerciements

Mes remerciements à celles et à ceux qui m'ont aidée par leurs connaissances, et sans qui cette histoire ne serait pas la même :

— Dr Annie Lafortune, chirurgienne à l'Hôpital de Chicoutimi, qui m'a grandement aidée à comprendre comment assassiner mes victimes sans faire naître les soupçons ;

— Mme Margot Phaneuf, infirmière à la retraite, pour ses conseils sur le milieu médical des années 1970 ;

— M. François Julien, pathologiste judiciaire à la retraite, pour sa grande expertise dans son domaine. Un passionné de son métier ;

— M. René De Vailly, ancien directeur de la sécurité à l'Hôpital Sainte-Justine.

Un grand merci également :

— à Corinne, toujours là, si précieuse ;

— à mon éditeur, Pierre Bourdon, et à son équipe.

Achevé d'imprimer au Canada